保険営業パーソンのための
開業医顧客獲得術

著：奥田 雅也

新日本保険新聞社

はじめに

　本書は 2012 年 2 月に新日本保険新聞社より出版されました「ここから始めるドクターマーケット入門」の改訂版という位置づけで執筆をさせて頂きました。出版をしてから 8 年が経過し、開業医の先生方を取り巻く環境だけでなく、我々保険営業パーソンを取り巻く環境も大きく変化しました。そして何より、私自身がこの 8 年間で経験をしてきた内容を踏まえて全面的に改訂をいたしました。

　開業医の先生方にとっては、2 年に 1 度の診療報酬改定だけでなく、介護報酬の改定や経済環境の変化、そして 2016 年より順次施行されている「第七次改正医療法」という変化がありました。我々保険営業パーソンにとっては、フィデューシャリーデューティーに代表される「保険募集の適正化・体制整備強化」だけでなく、2019 年（令和元年）7 月 8 日より発遣されました法人税基本通達の改正など、目まぐるしい変化にさらされています。

　こうした中で、保険営業パーソンとして開業医の先生方と、どうやって関係を構築し、ご契約をお預かりするか？という問題は年々、難しさを増しています。そのために本書では、開業医の先生方を取り巻く環境や関心事にフォーカスをして、「選ばれる保険営業パーソンになるためには何が必要か？」という目的を掲げて書きました。

　決して、保険を売るがための「小手先のテクニック」ではなく、先生方からご信頼を頂くための「王道」、そして経済環境や各種法令が変わっても不変的な「大義」にこだわって書いたつもりです。

　本書が皆様の保険営業の一助になれば幸甚です。

2020 年 3 月
株式会社ＦＰイノベーション　代表取締役
特定非営利活動法人日本リスクマネジャー＆コンサルタント協会　理事
奥田　雅也

目　次

■ **第１章** ■

なぜ開業医なのか？ 7
　医師の中でも“開業医”がターゲット 8

● 開業医マーケットに取り組むためのマインドセット 8
● 開業医マーケットを目指す理由 10
● 勤務医と開業医の違い 12
● 病院と診療所の違い 13
● 生命保険と損害保険 14
・コラム「付き合いたい保険営業」と「付き合いたくない保険営業」 15

■ **第２章** ■

開業医顧客獲得のための基礎知識 19
　押さえておかなければならない基礎事項 20

● 医師になるまで 20
● 公的医療保険制度 22
● 診療報酬制度 23
● 自由診療制度 25
● 医療機関の経営形態 26
● 開業費用 30
● 診療所の収益実態 31
● 診療科目ごとの特徴 33
● 儲かっているクリニックと儲かっていないクリニック 39
● 租税特別措置法 26 条 40
● 医療機関の損税問題 41
● 医療機関の広告規制 44
・コラム「難しい院長婦人の立ち位置」 46

■ **第３章** ■

保険営業として知っておくべき医療法人制度 . . 49
　厳格なルールがある医療法人の運営 50

●医療法人とは 50

●社団と財団 52

●医療法人の運営 52

●医療法人の類型 57

●出資持分とは？ 58

●持分あり医療法人が禁止された経緯 59

●基金拠出型医療法人 60

●医療法人数 61

●医療法人運営管理指導要綱 63

●医療法人の非営利性 70

●医療法人のメリットとデメリット 74

●医療法人のまとめ 76

・コラム「潜在的に会計事務所への不満は大きい 中身のないコンサル契約」 77

■第4章■

第七次医療法改正と認定医療法人制度 81

問われる経営の透明性、ガバナンス強化も 82

●第七次医療法改正 82

●関係事業者との取引報告 83

●医療法人のガバナンス強化 88

●認定医療法人制度 92

●他制度との比較 99

●認定医療法人制度のまとめ 100

・コラム「倒れるヒマのない院長夫人 なかには一人四役こなす人も」 102

■第5章■

MS法人について考える 107

まだまだ活用の余地があるMS法人 108

●MS法人とは 108

●MS法人のデメリット 109

●MS法人のメリット 111

●MS法人が行う業務 113

●MS法人の形態 114

●MS法人のまとめ 115

・コラム「良いクリニック」と「そうでないクリニック」 116

第6章
開業医へのアプローチ 119
どれだけ情報提供できるかが決め手に 120

●マーケティングとブランディング 120
●開業医へのアプローチの基本 121
●開業医へのアプローチ手法 122
●開業医に会う前の準備 125
●開業医との面談 132
●開業医とのアポイント 133
●開業医マーケットは時間が掛かる 134
●継続的なフォローとアプローチを 135
・コラム「患者さんが少なくても手取り多いクリニックも」 137

第7章
開業医への保険提案 141
リスクマネジメントの全体像の把握から 142

●診療所経営におけるリスクマネジメント 142
●開業医への保険提案 144
●医療法人化 147
●開業医向け保険提案におけるポイント 148
●定期的な見直しを 152
●参考にして頂きたい失敗事例 152
・コラム「いまだに多い"古い開業医"のイメージ引きずる営業パーソン」 157

巻末資料
モデル定款(厚生労働省「社団医療法人定款例(平成30年3月30日)」から) 161
医療法人運営管理指導要綱(厚生労働省) 171

第1章

なぜ開業医なのか？

医師の中でも"開業医"がターゲット

Check Point！・成果を出し続けている人とそうでない人の違いは、自然と湧き
出てくる思考・考え方＝マインドセット。成功への道は、まず
「自分はどうなりたいのか」「その目標は本当に自分にとって魅
力的なのか」を見つめなおすことから。
・開業医は圧倒的に保険料負担能力が高く、院長または院長夫人
の意思決定一つで高額な契約が効率的に獲得できる。
・病院と診療所（クリニック）は違う。狙うのは後者。

　本書では世間一般で言われている「ドクターマーケット」という表現は使いません。拙書は
「ここからはじめるドクターマーケット入門」（2012年2月発行）というタイトルにしました
が、本書では「開業医マーケット」という表現に一本化します。それは保険営業としてターゲッ
トにしたいのが、「医師でも開業医」に限定しているからです。本章ではその理由を説明してい
きます。

> ## ●開業医マーケットに取り組むためのマインドセット

　人それぞれの価値観があり、考え方はありますが、保険営業という仕事は年齢・性別・学歴に
全く関係なく成果を上げることが可能です。「勝ちに不思議の勝ちあり」というように、1年だ
けとか数年だけズバ抜けた成果を上げる人はいますが、そのズバ抜けた成果を上げ続けること
ができる人は非常に少数派です。私が数多くの保険営業パーソンを見てきて、成果を上げ続け
る人とそうでない人の違いは「考え方」だと思っています。

　この「考え方」こそ、私は「マインドセット」と呼んで非常に重要視しています。「マインド
セット」とは『頭の中を整理せず、リラックスせず、というような状態の時に反射的に起こって
しまう思考の癖』と定義付けできるように、自然と湧き出てくる思考・考え方です。この思考や
考え方は、人それぞれで千差万別ですから、これに良し悪しは絶対にありません。またこの思考
や考え方が人と違うからと言って、優越感を感じたり劣等感を感じる必要もありません。それ
は非常に大切な「個性」だからです。

　この思考や考え方に基づいて、私も含め皆さんの「現状」があります。これは紛れもない事実
で、自分の価値観や思考で意思決定をしてきた結果、今の生活があり、今の職場があり、今の家
庭があるのです。もしこれを「変えたい」「現状を打破したい」と思うのであれば、今までの思
考や考え方を変えない限り、未来も今の延長線上でしかありません。繰り返しますが、今が悪い

とか未来が悪いと言っているのではありません。今後の未来を変えたいと思うのであれば、「考え方」を変えて行動するしかないのです。そのためには「なぜ成果を上げたいのか？」、もっと分かりやすい言葉で言えば「稼いで何を実現させたいのか？」ということと、「それは本当に自分がしたいことなのか？」を突き詰めて考え直す必要があります。

多くの保険営業パーソンが「成果が出せない」「変われない」のは、「本当に成果を出したい」「変わりたい」と思っていないからだと私は考えています。大きな成果を出して「●●賞に入賞したい」「MDRT会員になりたい」という方がおられます。でもそれは本当に目指すべき目標なのでしょうか？　会社や周囲から押し付けられた価値観でしかないのではないでしょうか？そうではなく、本当に目指したい目標や自分の未来を明確に描けば、それに対して必要なことをコツコツとやり続ければよいだけです。

私がよく例に出すのが、野球のイチロー選手が現役時代、とあるCMで言っていた言葉です。野球選手にあこがれる少年からの「どんな努力をすればイチローさんのようになれますか？」という問いに対してイチロー選手は「努力と思っている時点で違うと思うよ」と回答していました。イチロー選手は他人から見ればものすごい「努力」をしているように見えますが、ご本人は「野球が上手になりたい」という一心で好きでやっているだけですから、全く努力とは思っていないはずです。これは非常に極端な例ですが、私も含めて「自分はどうなりたいのか？」「何を目指したいのか？」「その目標は本当に自分にとって魅力的なのか？」ということをまずは見つめなおし、その上でやりたいことをただ淡々とやるだけだと思います。他人や企業の価値観を押し付けられて、本当はそれほど欲しくないマイホームや高級外車の所有を目指したり、本当はそれほど魅力的だと思っていない「●●賞」や「MDRT」を目指しているようでは、成果を上げ続ける原動力にはならないと私は考えています。

1. 現状は、それまでの自分の価値観や思考で意思決定をしてきた結果

2. 現状を打破したい、未来を変えたいのなら『考え方』を変えて行動すること

3. そのためには「成果を上げて何を実現させたいか」「それは本当に自分がしたいことなのか」を突き詰めて考え直すこと

自分が本心から目指すことこそ、成果を上げ続ける原動力に！

次に保険の営業をしていると、ある意味では断られるのが仕事のような側面があり、皆様も保険営業人生において何千回・何万回と断られてきたと思います。そのたびに落ち込んだり、凹んだりしているヒマはありません。正確に言えば、私が提案をした保険の内容が断られただけであって、私自身の人格や人間性を否定して断った訳ではないはずです。時期やタイミングを変えればご契約を頂けたことも実際には多くあります。成果の公式は「面談数×成約率」ですから、いかに面談数を増やすか？がすべてだと思っています。その面談数を増やすために、いちいち落ち込んだり凹んだりしているヒマはありません。私の師匠の1人でもある株式会社エクセルの鈴木善和社長は「いかりや長介さんの『ダメだこりゃ、次いってみよー』の精神で保険営業はやれば良い」とおっしゃいますが、まさにその通りだと思います。

　このように自分自身として「どう考えるか？」というマインドセットは成果を上げ続けるためには非常に重要で、現状に満足をされていないのであれば、過去に培ってきたあなた自身の「価値観」をすべて捨て去ってみて下さい。

成果の公式は「面談数×成約率」。面談数を増やすことに尽力しよう

●開業医マーケットを目指す理由

　開業医マーケットに限ったことではありませんが、私はなぜ保険営業を仕事にするのか？という入口は非常に重要だと考えています。職業選択の自由が憲法で保障されている日本において、星の数ほどある仕事の中から何故、保険営業という仕事を選んだのでしょうか？　人によっていろいろな経緯や動機があると思いますが、その中の一つに「高収入を稼ぎたい」という理由があると思います。少なくとも私が20数年前に新卒代理店研修生からこの仕事を選んだのはその理由からですし、現在も続けているのはそのためということもあります。

　この「高収入を稼ぎたい」というのであれば、開業医を顧客にするのは非常に有効な手段の一つであると言えます。保険営業パーソンとして開業医を顧客にしたい理由はズバリ「高額な保険料負担が可能」だからです。ドクター（医師）ではターゲットは漫然としがちですが、ドクターの中でもより高額な保険料負担能力がある開業医を顧客にしたいのは、圧倒的に保険料負担能力が高く、院長または院長夫人の意思決定一つで高額な契約が効率的に獲得できるからです。

　個人のマーケットを決して否定はしませんが、1世帯あたりの生命保険料は月額3万円、年

換算保険料 36 万円前後が平均であるのに対して、開業医であればその 100 倍以上の保険料の
ご契約をお預かりすることも可能です。私が過去、1,000 件以上の医療機関を訪問してきて見
てきた中で、最高額は内科クリニック（医業収益で年間約 7 億円）で年間の生命保険料を約 2.5
億円も支払っていたところもあります。それほどの高額契約が、院長の意思決定一つでお預か
りできる訳ですから、我々保険営業として効率よく成果を求めるのであれば、開業医マーケッ
トを目指すのがある意味では手っ取り早いと言えます。

　ただ、これはあくまでも生命保険での成果に限ったことであり、損害保険のマーケットとし
ては、火災保険・自動車保険・所得補償保険などを合わせても年間保険料 100 万円を超えるこ
とは多くありませんから、損害保険からみた「開業医マーケット」はそれほど魅力的とは言えま
せん。医療機関であればむしろ病院の方が損害保険マーケットとしては有力であると言えるで
しょう。

　ですので、本書を手にしたあなた自身が、「何を目指すのか？」「どうなりたいのか？」をしっ
かりと見極めて頂き、「生命保険において効率的に大きな成果を目指したい」となれば開業医は
非常に魅力的なマーケットであると言えるでしょう。

◎一般個人マーケット・・・・1世帯当たりの平均生命保険料が
　年換算36万円前後であるが…
◎開業医マーケット・・・・・・その100倍以上の保険料も可能

筆者の場合、過去 1,000 件以上の医療機関の中で
年間生命保険料最高2.5億円！
それほど高額な契約が院長の意思決定一つで成約
となる世界

●勤務医と開業医の違い

　前述の「開業医は保険料負担能力が高い」ということを確認していきます。まずは厚生労働省が発表している次の図をご確認下さい。

病院勤務医と診療所医師（開業医）の給与の比較

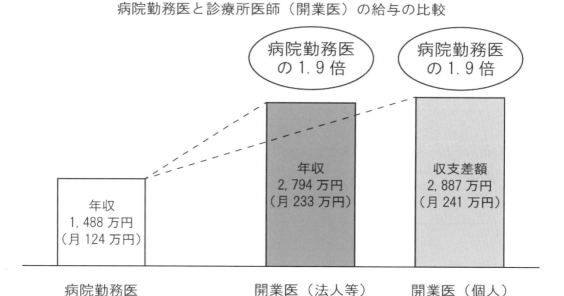

※「医療経済実態調査報告（平成29年実施）」引用

　病院に勤務する「勤務医」の平均年収は1,488万円に対して、法人格の開業医は役員報酬ベースで平均が2,794万円、個人開業医は収入と支出の差額が2,887万円となっており、その格差は1.9倍にもなります。

　分かりやすく言えば、勤務医は病院に勤務する「専門職従業員」であり、年収ベースでは大企業や金融機関のサラリーマンと変わらない水準であると言えます。それに対して開業医はあくまでも平均が2,800万円の所得であることを考えますと、保険料負担能力は圧倒的に開業医の方が高いと言わざるを得ません。我々にとっては大きな成果が見込める優良顧客であることは間違いありません。

保険料負担能力

勤務医　＜　開業医

（平均年収約1,500万円）　　（平均年収約2,800万円）

●病院と診療所の違い

医療法に下記の規定があります。

第一条の五　この法律において、「病院」とは、医師又は歯科医師が、公衆又は
特定多数人のため医業又は歯科医業を行う場所であつて、二十人以上の患者を入
院させるための施設を有するものをいう。病院は、傷病者が、科学的でかつ適正
な診療を受けることができる便宜を与えることを主たる目的として組織され、か
つ、運営されるものでなければならない。
2　この法律において、「診療所」とは、医師又は歯科医師が、公衆又は特定多
数人のため医業又は歯科医業を行う場所であって、患者を入院させるための施設
を有しないもの又は十九人以下の患者を入院させるための施設を有するものをいう。

　病院とは20床以上の病床を持っている施設であり、19床以下の病床を持っている施設は「有
床診療所」、病床を持たない診療所は「（無床）診療所」と区分されます。一般的には診療所も病
院もすべてひっくるめて医療機関を「病院」と表現されることが多いですが、医療業界において
診療所（クリニック）と病院は明確に違いがあります。こういう言葉の定義は非常に重要で、表
現を間違えると「この人は医療のことを知らないな」と思われますので、まずはこの点を押さえ
ておいて下さい。

　前章でも書きましたが、我々としてターゲットにしたいのは、ドクターの中でも「開業医」で
あり、その中でも意思決定権者に会える可能性が少なく、会えたとしても意思決定に時間が掛
かる「病院」ではなく「診療所」であることをきちんと押さえておいて下さい。

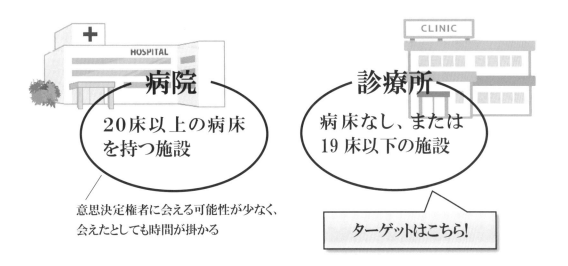

病院　20床以上の病床を持つ施設

意思決定権者に会える可能性が少なく、会えたとしても時間が掛かる

診療所　病床なし、または19床以下の施設

ターゲットはこちら！

●生命保険と損害保険

　前述の通り、開業医マーケットへ行く目的を「効率的に大きな成果を狙いたい」と考えるのであれば、販売する商品は、損害保険ではなく生命保険になります。なぜなら開業医における損害保険のニーズは、院長の自動車保険、診療所・自宅の火災保険、所得補償保険などで、すべて合わせても年間保険料として 50 万円くらいの契約をお預かりできればよいほうなのではないでしょうか？　それに対して生命保険は、その活用法を考えますと幾らでも保険料を払って頂ける見込みがあるために、主力商品は生命保険商品になると言えます。

　ですが、そのように考えている保険営業パーソンがあまりにも多いので、生命保険のセールスパーソンは頻繁に開業医を訪れますが、損害保険のセールスパーソンはほぼ来ないというのが実情です。なので、本丸は生命保険であっても、開業医が知らない損害保険活用を提案すれば、有効な切り口にはなり得ると思います。ですから、生命保険・損害保険の両方が扱える保険営業パーソンは、目先を変えて損害保険商品からアプローチをすることも考えてみてはどうでしょうか？　特に高額な医療機器が多い診療科目においては、故障などのトラブルに対処できる損害保険商品は重宝されるはずですよ。

開業医が知らない損保活用を提案すれば、有効な切り口に！

コラム

院長夫人の「クリニック経営は今日も大変!!」

「付き合いたい保険営業」と「付き合いたくない保険営業」

永野整形外科クリニックの永野光さんにゲスト講師としてご参加頂いた奥田塾medical（新日本保険新聞社主催、2018年10月開催）から、その席上での受講者との質疑応答をお届け致します。

> ■永野　光　プロフィール
>
> 株式会社クリニックイノベーションサポート代表取締役
> 大学卒業後、一般企業の勤務を経て大阪府内の病院で医療ソーシャルワーカーとして医療福祉相談室に勤務。2009年4月に永野整形外科クリニックを開業。開業後は院長夫人としてクリニック経営に携わりながら病院でのソーシャルワーカーとして活動を続けるも2010年からは事務長業に専念。クリニックでのＳＰＤ導入やスタッフ管理・経営管理などの各種管理手法が口コミで評判となり、クリニックへの見学や講演の依頼が増え日経ヘルスケア2014年9月号にて紹介される。

［受講者］

保険営業はクリニックによく来るのですか？

［永野］

今は決まった人しか来なくなりましたね。飛び込み営業は来なくなりましたね。開業当初は某保険会社の方が3人で来られたこともありました（笑）。

［受講者］

開業される前と開業された後とでは保険に対する認識は変わりましたか？

［永野］

変わりましたね。やっぱりスタッフを抱えるようになったのが大きいですね。父も自営業でしたが、社員を抱えていなかったので…。

あと会社経営ですと社長に何かがあれば、誰かが継いで経営を続けることも可能ですが、クリニックの場合は院長に何かあると医師がいなければ終わりますから、解散させるにもお金がいるので保険は必要だなぁ～と痛感していますね。

［受講者］

多くの保険営業の方を見てこられたと思いますが、「付き合いたい保険営業」と「付き合いたくない保険営業」の違いはどこでしょうか？

　話の内容ですね。話の内容が聞いていたい内容なのか聞きたくない内容なのか?ですかね…。

［受講者］

　「付き合いたい保険営業」の方とすべてご契約をされるわけではないと思うのですが、「付き合いたい保険営業」の中から「契約をしたい保険営業」と「契約したくない保険営業」の違いはあるのでしょうか?

［永野］

　私や院長、クリニックに対する「貢献度」が認識できた時に契約をするのではないでしょうか…。何もしてくれない、何も情報提供してくれない人と契約をしようとは思わないですよね…。私の場合は、食事に招待してくれたとかではなく、「良い情報・知識をくれた」という方にご契約をお願いしていますね。「知識」や「知恵」をくれる人とはお付き合いをしたいと思いますからね。その「知識」や「知恵」はクリニック経営にかかわらず、いろんなことですね。その時に知りたいことをすぐに教えてくれるのは大きな貢献だと思いますね。そういう貢献が積み重なると、保険の話がある時には「○○さんに相談しよう」と思いますよね。

　あと最近、出版(『院長妻から院長夫人への 42 のメッセージ:自分らしく無理せず楽するコツ』プリメド社)をしてから思うのは、院長夫人で出版をしたいと思っている人が案外多いということですね。各地の団体に呼んで頂いて講演をする機会が多いのですが、その先々でそんなことを感じますね。院長夫人も結構、クリニック経営などで鬱屈した気分を晴らしたいと思っている人が多いと思うので、その鬱屈した気分を解消してあげる貢献はあるかもしれませんね…。

尽きない"人"の問題

［受講者］

　院長先生や院長夫人の多くが悩んでおられるであろうスタッフのことについて、具体的に教えて頂けませんか?

［永野］

　人口減少の局面を迎えている中で、クリニックで働きたいという若者を確保することが難しくなってきています。開業時であればオープニングスタッフということで、まだ比較的集めやすいのですが、開業して 10 年近くになると古株のスタッフがいるのでは? ということで、なかなか若い世代が応募してこなくなりますよね。その問題がまずは一つです。

　そして雇用上のトラブルですね。労基署に駆け込むスタッフや、労働組合をつくるスタッフがいたり、組織風土を下げるスタッフがいたりしますから、こういうトラブルを抱えているクリニックが多いですね。

　あとは人が定着しないという悩みもありますし、看護師の確保は困っています。あと、人材紹介会社を使うとコストもかかりますし、人に関する悩みは尽きないですね。そういう人事上の問

題を院長が対応しているケースもあれば、院長夫人が対応しているケースもありますので、そのあたりはクリニックによって違いますね。

[奥田]

　少し補足をすると、人の問題をフォーカスして悩んでおられるクリニックというのは、ある程度の収益が確保できているクリニックですね。集患ができて収益もある程度取れているから人の問題をフォーカスしておられるわけで、集患ができていなくて収益が上がっていないクリニックですとまずはお金の問題で悩んでおられますからね。逆の言い方をすれば、人の問題に悩んでおられるクリニックはある程度、収益が取れているクリニックであるといえますね。

[永野]

　クリニック経営においては人の問題は尽きないですね。その問題に対して耐性のある奥様とそうでない奥様がおられます。整形外科などの場合は雇う人数・職種が圧倒的に多くなりますので、耐性はすぐにつきますね。他科の一部は人数が少なくトラブルが起きる割合が少ないので耐性が弱い方がおられますね。

[受講者]

　人の問題に対してどのような対処をされているのでしょうか？

[永野]

　私の場合は、YouTubeを使ったりSNSを使ったりして露出を高めて採用に活かしたりしていますね。それは結構ノウハウがありますね。ハローワークへの事業所登録をするときのコツや紹介会社との付き合い方もありますからね。人事労務に関する対処法やノウハウは悲しいかな経験を多く積んでしまいました。

[受講者]

　接遇教育に投資をされているクリニックは多いのでしょうか？

[永野]

　感覚的にはあまり多くないと思いますね。特に関西はお金にシビアですから、そこにあまり投資をしないのと、接遇研修の場合には１回で結果が出せるような研修はなく、継続的な教育が必要になりますから、費用はそれなりに掛かりますからね…。医師協同組合や保険医協同組合等の団体で開催している集合研修にスタッフを行かせるというのが一般的なのではないでしょうか。

//

こぼれ話　「差額ベッド料（特別療養環境室料)」について

　入院時、患者にとって医療費以外の大きな出費のひとつに「差額ベッド料」があります。これは健康保険法で定められた医療機関の特別なサービスで、個室等を利用したときに保険で支払われる入院料とは別に、患者がその料金を実費負担するものです。

　厚生労働省が定めた差額ベッド室の要件は次の通りとなっています。
1.　1病室4床以下（必ずしも、個室ではない。2人部屋、3人部屋でも個室差額が発生することがある）。
2.　病室の面積が1人当たり、6.4 ㎡以上。
3.　ベッドごとにプライバシーを確保するための設備を整えていること。
4.　個人用の私物収納設備や照明、小机、イスを設置していること。

　差額ベッドの料金は病院が自由に値段を設定します。同じような広さや設備であっても、病院によってその料金に大きな違いがあることも珍しくはありません。

　料金の徴収に当たっては、厚生労働省が以下のようなケースでは請求してはならないという通達を出しています。
① 同意書による同意の確認を行っていない場合（室料の記載がない、患者側の署名がない等内容が不十分である場合を含む）
② 患者本人の「治療上の必要」により差額ベッドへ入院させる場合
　(例)・救急患者、術後患者等であって、病状が重篤なため安静を必要とする者、又は常時監視を要し、適時適切な看護及び介助を必要とする者
　　　・免疫力が低下し、感染症に罹患するおそれのある患者
　　　・集中治療の実施、著しい身体的・精神的苦痛を緩和する必要のある終末期の患者
③ 病棟管理の必要性等から特別療養環境室に入院させた場合であって、実質的に患者の選択によらない場合
　(例)・MRSA等に感染している患者であって、主治医等が他の入院患者の院内感染を防止するため、実質的に患者の選択によらず入院させたと認められる者の場合
　　　・差額ベッド以外の病床が満床であるため、差額ベッドに入院させた患者の場合

　現実問題として、差額ベッド料収入は病院経営の大きな部分を占めているため、患者さんにとっては負担を求められる場合もよく見受けられます。とくに最近は設置限度※ぎりぎりまで差額ベッドを設ける病院も多く、「差額ベッドは空いているが、大部屋は満員」という状況がよく見られます。

※差額ベッド設置限度：国立病院は全病床の 50％まで、国立病院は 20％まで、地方公共団体の病院は 30％まで。

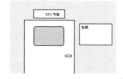

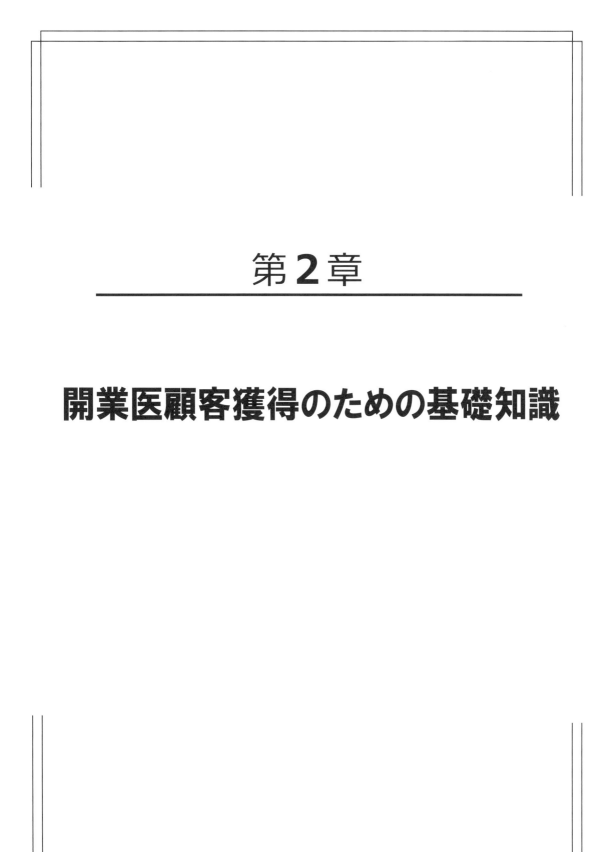

第2章

開業医顧客獲得のための基礎知識

押さえておかなければならない基礎事項

Check　Point！ ・開業医でも診療科目によって収益構造は異なり、それぞれの特
徴がある。
・個人開業医は収益力が高くなると医療法人に移行するため、儲
かっている可能性が高い。
・クリニックを外から見るだけでも、儲かっているかいないか、
ある程度分かる。

　本章では、開業医マーケットへ取組むにあたり知っておくべき基礎知識をできるだけ分かり
やすく解説します。

●医師になるまで

　当たり前のことですが、国家資格としての医師免許を持っていなければ開業医にはなれませ
ん。「医師になる」と聞いて何をイメージされますか？　真っ先にイメージするのは「医学部入
学」のための教育資金が膨大に掛かるということではないでしょうか？

　国立大学の医学部であれば、入学金は 282,000 円、授業料は 1 年 535,800 円の 6 年分です
から総額は 3,496,800 円になります。公立大学になりますと、大学ごとに入学金・授業料は違
うのと、大学によっては県外からの学生に対しては入学金を高く設定している大学もあります。
それでも一番高い大学でも、6 年間累計で 4,060,800 円です。これに対して驚くほど高いのが
私立大学で、6 年間の総費用は一番安い大学でも 19,100,000 円、一番高い大学であればなん
と 47,265,000 円もかかり、国立大学との差額は 13.5 倍にもなります。費用の一覧は河合塾
のサイトに掲載されていますので、ご興味のある方はこちらをご確認下さい。

河合塾「医進塾」私立大学　医学部学費一覧ページ
(http://ishin.kawai-juku.ac.jp/university/schoolexpenses/schoolexpenses2.php)

　これはあくまでも大学の医学部に入学して通学に掛かる費用ですから、この前に幼稚園から高校までの費用と塾などの費用を合わせるとかなり高額な教育費が掛かっていることが想像して頂けると思います。

　さらに、医学部を卒業する年度に医師国家試験を受験しますが、合格後は「研修医」として 2 年間（歯科医師は 1 年間）以上の臨床研修が義務付けられており、この間は他医療機関でのアルバイトはできないとされています。そのためにこの期間についてもある程度の生活に対する援助をすることを考えますと、一人前の医師になるまでに膨大な費用が掛かっていることがお分かり頂けると思います。

　これは裏返せば、お子様の教育資金として高額な資金準備が必要になることを表しています。開業医のご子息が医師を目指すことは多くあることですが、必ずしも医師になれるという訳ではありません。実際に開業医のライフプランニングを行う際、ご夫婦のどちらかが代々、医師の家系ですとご子息に医学部を目指させる方が多いですし、そうでない場合には子供の意志に任せるとおっしゃる方が多いです。ただ私がよくお話しするのは「ご子息が仮に『医師になりたい』と言い出した時に、それを支援できるだけの教育資金準備はされておかれてはどうでしょうか？　もし医師を目指さなくなってその資金が不要になれば、お 2 人の老後資金に回せば良いだけですから」と言って計画的な資産形成をご提案します。

一人前の医師になるまでに膨大な費用が掛かる

・幼稚園から高校までの授業料、塾・家庭教師費用などに加え、

・国立大学の医学部の場合、入学金＋6 年分の授業料は約 350 万円かかり、さらに、私立大学では 6 年間の総費用は一番安い大学でも約 1,900 万円、一番高い大学だと約 4,700 万円も必要に！

・医学部を卒業しても 2 年間は初期臨床研修を行うことが義務付けられており、この間、他医療機関でのアルバイトはできないので援助費用も必要

●公的医療保険制度

　日本においては、国民皆保険制度のもとに公的医療保険が導入されております。この公的医療保険制度の概念図は下図をご覧下さい。

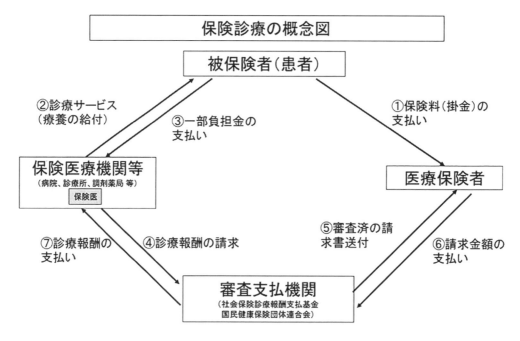

① 被保険者である国民は、健康保険料を保険者へ毎月支払いをします。
② そして傷病が発症した場合には、保険医療機関へ行って受診をして「診療サービス（療養の給付）」を受けます。
③ そのサービスの対価として、窓口にて一部負担金を支払います。
④ 診療を行った保険医療機関は、1か月分の診療行為をまとめて翌月の10日までに審査支払機関へ診療報酬の請求を行います。
⑤ 審査支払機関は請求内容を精査した上で、医療保険者に対して審査済の請求書を送付します。
⑥ 医療保険者は、請求書に基づいて審査支払機関へ請求金額を支払います。
⑦ 審査支払機関は保険医療機関に対して窓口で被保険者より預かった一部負担金との差額を診療報酬として支払います。

　この「④診療報酬の請求」業務を「レセプト（請求）」と言い、毎月10日が請求の締切となっているので、月初から10日までは忙しくしている医療機関は多くあります。最近では電子カルテの導入がかなり進んでいるので、レセプト請求業務は昔に比べると格段に速くなっているようですが、それでも内容の精査等の作業がありますので、月初は忙しいことにあまり変わりはありません。

　なお、⑦の診療報酬が医療機関に振り込まれるのは、レセプト請求の1か月半後で診療からは2か月後になります。そのために医療機関の売掛金（医業未収入金）は単月売上の2か月分が計上されます。そしてこの入金は社会保険と国民健康保険では若干のタイムラグがあり、社保は20日前後・国保は23日前後になります。

　あと、個人開業医の場合には社会保険診療報酬のみ源泉所得税として10%が控除されます。ちなみに国保は控除されずに満額が振り込まれます。この社保の源泉は医療法人になると控除されなくなりますので、医療法人になると若干ではありますが資金繰りが改善します。

●診療報酬制度

　診療報酬の仕組みは、厚生労働大臣が中央社会保険医療協議会（中医協）の議論を踏まえ決定した定価の制度です。その内容は技術・サービス評価と物の価格評価（医薬品については薬価基準で価格を定める）で決まっています。なお診療報酬点数は1点10円として評価されます。診療報酬点数表のイメージは下図の通りです。

医科診療報酬点数表例（基本診療料）

基本診療料は、初診若しくは再診の際及び入院の際に行われる基本的な診療行為の費用を一括して評価するもの。	
初・再診料	初診料（1回につき）　　　　　　　　　　　　　　　　270点 　外来での初回の診療時に算定する点数。基本的な診療行為を含む一連の費用を評価したもの。簡単な検査、処置等の費用が含まれている。 再診料（1回につき）　　　　　　　　　　　　　　　　69点 　外来での二回目以降の診療時に一回毎に算定する点数。基本的な診療行為を含む一連の費用を評価したもの。簡単な検査、処置等の費用が含まれている。
入院基本料	入院の際に行われる基本的な医学管理、看護、療養環境の提供を含む一連の費用を評価したもの。簡単な検査、処置等の費用を含み、病棟の種別、看護配置、平均在院日数等により区分されている。 　例）一般病棟入院基本料（1日につき）　7対1入院基本料　1,566点 　　　　　　　　　　　　　　　　　　10対1入院基本料　1,311点 　　　　　　　　　　　　　　　　　　13対1入院基本料　1,103点 　　　　　　　　　　　　　　　　　　15対1入院基本料　　945点 　なお、療養病棟入院基本料については、その他の入院基本料の範囲に加え、検査、投薬、注射及び簡単な処置等の費用が含まれている。
入院基本料等加算	人員の配置、特殊な診療の体制等、医療機関の機能等に応じて一日毎又は一入院毎に算定する点数。 例）総合入院体制加算（1日につき）　　　　　　　　　120点 （急性期医療を提供する体制及び勤務医の負担軽減及び処遇の改善に対する体制を評価） 診療録管理体制加算（1入院につき）　　　　　　　　　30点 （診療記録管理者の配置その他の診療録管理体制を評価）
特定入院料	集中治療、回復期リハビリテーション、亜急性期入院医療等の特定の機能を有する病棟又は病床に入院した場合に算定する点数。入院基本料の範囲に加え、検査、投薬、注射、処置等の費用が含まれている。 例）救命救急入院料2（1日につき）（3日以内の場合）　11,211点 （救命救急センターでの重篤な救急患者に対する診療を評価）

すべての診療行為に対して保険点数が決められており、診療報酬点数表は冊子にすると 1700 ページを超える辞書のような冊子です。最近では電子カルテの導入が進んでいるために少なくなりましたが、以前は医師の診察内容とカルテ記載内容と診療報酬請求に記入漏れがあり、医療機関側が本来請求できるはずの診療報酬が請求できていないというミスが結構ありました。某病院では、この改善で年間収益が数億円も改善したという事例もあるほどです。

ちなみに大阪府下の医療機関におけるレセプト 1 件あたりの診療報酬点数は下図の通りです。

令和元年度　大阪府内の保険医療機関等の診療科別平均点数一覧表

1　医科
（レセプト 1 件あたりの平均点数）

（1）病院

一般病院	53,499	点
精神病院	39,497	点
臨床研修指定病院・大学附属病院・特定機能病院	64,151	点

（2）診療所

内科（人工透析有以外（その他））	1,226	点
内科（人工透析有以外（在宅））	1,477	点
内科（人工透析有）	10,877	点
精神・神経科	1,494	点
小児科	1,041	点
外科	1,564	点
整形外科	1,382	点
皮膚科	653	点
泌尿器科	1,207	点
産婦人科	1,252	点
眼科	848	点
耳鼻咽喉科	873	点

2　歯科

	1,378	点

3　薬局

	1,150	点

　前述の通り 1 点 10 円ですから、内科クリニックのレセプト単価は 12,260 円になります。患者はクリニックの窓口で 3 割（高齢者は年収によって負担割合が異なる）を負担しますので、平均は 3,670 円になります。

　診療報酬制度のポイントは全国一律であるということです。ですから、都心の医療機関でも地方都市の医療機関でも同じ診療行為を行えば、同じ点数が適用されますので、地代・家賃・人件費などの固定費が比較的安い地方都市の医療機関のほうが収益力がある傾向にあります。詳細は後述します。

●自由診療制度

　診療報酬制度に基づく診療に対して、自由診療制度とは、公的医療保険（健康保険、国民健康保険、後期高齢者医療制度）が適用されない診療のことをいいます。診療を受ける者と、診療を行う医療機関との間で自由に個別の契約を行い、その契約に基づいて行われる診療です。

　医療機関での受診方法は、保険診療と自由診療の 2 つがあります。厚生労働省が承認していない治療や薬を使用する場合などの診療では、公的医療保険や診療報酬は適用されず、最先端の治療を受けようとする場合や、ワクチンの予防接種・健康診断や人間ドック・歯科で患者側の希望で、保険診療で認められていない高額な材料を使いたい場合などは、病院やクリニックが値段を決めた全額自己負担の自由診療となります。特にがん治療で、日本未承認の抗がん剤を使用する場合には、保険適用にならず全額自己負担になります。

　また、漢方治療の多くは現在、公的保険制度でも認められていますが、保険診療で使用できる病名が限られているため、保険適用できない病名である場合には、専門的漢方医療は自由診療になる場合があります。その他、健康上の理由以外で行われる美容整形外科は自由診療となります。

　自由診療の場合は、医療機関が決めた任意の価格で治療が行えますが、消費税の課税対象となりますので、自由診療を行っているクリニックでは、患者さんから消費税を預かって自由診療に関連した仕入で支払った消費税との差額を決算後に納付する必要があります。

・美容整形
・専門的漢方医療　　　　　　}　自由診療
・日本未承認の抗がん剤治療など

こぼれ話　「がん遺伝子パネル検査」が保険適用に！

　がんに関わる 100 以上もの遺伝子を一度に調べることができる「がん遺伝子パネル検査」の保険適用が、2019 年 6 月から始まりました。患者さん一人ひとりのがんの遺伝子変異を突き止め、それに応じて最適な治療を探そうというものです。

　ただし、誰でも受けられるわけではなく、あくまでもがん患者さんのためのもので、対象となるのは、「標準治療がない固形がん」「局所進行もしくは転移があり、標準治療が終了した（終了見込みを含む）固形がん」の人で、次の新たな薬物療法を希望する場合に検討します。

　この検査は、全国 11 施設の「がんゲノム医療中核拠点病院」や、34 施設の「がんゲノム拠点病院」、または、全国 156 施設の「がんゲノム医療連携病院」で受けることができます（2019 年 11 月現在）。受診の際には、これまでの治療経過を記載した紹介状や、検査のための病理組織検体などが必要になります。

　検査にかかる医療費は、56 万円となっており、患者負担割合が 1 割の場合は 5 万 6 千円、2 割の場合は 11 万 2 千円、3 割の場合は 16 万 8 千円になります。

●医療機関の経営形態

　一般的に、すべての医療機関を「病院」という表現をすることが多いですが、医療機関の規模や形態によって名称が異なります。前章で述べた通り病床数 20 床以上の入院施設を持つ医療機関を「病院」と呼び、19 床以下の入院施設を持つ医療機関は「有床診療所」となり、街中で多く見かける入院施設を持たない医療機関は「（無床）診療所」と区分されます。

　次に経営母体ですが、国・地方自治体・各種公益団体・公益法人・学校法人・社会福祉法人・企業・医療法人・個人などがあります。厚生労働省が発表している運営母体別の医療機関数・病床数の一覧は次の表になります。

開設者別にみた施設数及び病床数

令和元年5月末現在

		病院		一般診療所		歯科診療所
		施設数	病床数	施設数	病床数	施設数
総数		8,324	1,534,910	102,396	91,610	68,488
国	厚生労働省	14	4,622	22	–	–
	独立行政法人国立病院機構	141	53,403	–	–	–
	国立大学法人	47	32,690	148	19	1
	独立行政法人労働者健康安全機構	33	12,461	–	–	–
	国立高度専門医療研究センター	8	4,197	2	–	–
	独立行政法人地域医療機能推進機構	57	15,701	4	–	–
	その他	24	3,711	362	2,156	3
都道府県		198	52,305	252	176	7
市町村		612	125,474	2,910	2,192	252
地方独立行政法人		107	42,195	34	17	–
日赤		91	35,252	205	19	–
済生会		85	22,874	52	–	1
北海道社会事業協会		7	1,717	–	–	–
厚生連		101	32,254	67	25	–
国民健康保険団体連合会		–	–	–	–	–
健康保険組合及びその連合会		9	1,934	298	–	2
共済組合及びその連合会		42	13,339	140	–	5
国民健康保険組合		1	320	16	–	–
公益法人		198	49,394	499	261	103
医療法人		5,741	858,768	43,405	69,388	14,644
私立学校法人		111	55,379	189	38	17
社会福祉法人		198	34,008	9,987	342	38
医療生協		82	13,670	304	248	52
会社		31	8,411	1,690	10	11
その他の法人		210	44,242	741	265	113
個人		176	16,589	41,069	16,454	53,239

　歯科医院を含めると、世の中には約18万件の医療機関があります。このうち、我々保険営業パーソンとしてターゲットになるのは、医療法人の一般診療所（43,405件）・歯科診療所（14,644件）、個人の診療所（41,069件）・歯科診療所（53,239件）ではないでしょうか？ちなみに詳細は後述しますが、この分母からどのようにマーケットを絞り込むか？は非常に重要なテーマとなります。医療法人の一般診療所・歯科診療所、個人の一般診療所・歯科診療所以外は、公的な施設も含めて院長が意思決定権者ではなく、自由に使える資金も限られているため、対象から除外したほうが賢明です。

　さらに医療法人・個人開設の病院（20床以上の病床を有する機関）について、対象とするかどうかは意見が分かれるところですが、私個人的には、生命保険マーケットとしては除外したほうが良いと考えています。なぜなら意思決定権者である理事長（または院長）にたどり着くまでに時間が掛かることと、意思決定プロセスが複雑なケースが多いため、第1章で書きました「開業医マーケットを目指す理由」から考えますと、対象外にしたほうが無難です。ただ火災保険や自動車保険などの損害保険マーケットとしては病院は前述の通り魅力的なマーケットです。

次に都道府県別の医療機関数ですが、2017 年に実施されました医療施設動態調査をご覧下さい。

都道府県―指定都市・特別区・中核市（再掲）別にみた施設数および人口 10 万対施設数

2017 年 10 月 1 日現在

	施設数						人口 10 万対施設数					
	病　　院			一般診療所		歯科診療所	病　　院			一般診療所		歯科診療所
		精神科病院	一般病院		有床(再掲)			精神科病院	一般病院		有床(再掲)	
全国	8,412	1,059	7,353	101,471	7,202	68,609	6.6	0.8	5.8	80.1	5.7	54.1
北海道	561	68	493	3,384	421	2,934	10.5	1.3	9.3	63.6	7.9	55.2
青森	94	16	78	881	146	534	7.4	1.3	6.1	68.9	11.4	41.8
岩手	93	15	78	874	105	587	7.4	1.2	6.2	69.6	8.4	46.8
宮城	140	26	114	1,659	133	1,064	6.0	1.1	4.9	71.4	5.7	45.8
秋田	69	16	53	804	60	442	6.9	1.6	5.3	80.7	6.0	44.4
山形	69	14	55	926	61	485	6.3	1.3	5.0	84.0	5.5	44.0
福島	128	23	105	1,355	105	860	6.8	1.2	5.6	72.0	5.6	45.7
茨城	176	20	156	1,728	134	1,400	6.1	0.7	5.4	59.8	4.6	48.4
栃木	107	18	89	1,442	114	986	5.5	0.9	4.5	73.7	5.8	50.4
群馬	130	13	117	1,563	92	979	6.6	0.7	6.0	79.7	4.7	49.9
埼玉	343	48	295	4,261	217	3,542	4.7	0.7	4.0	58.3	3.0	48.5
千葉	288	34	254	3,759	182	3,255	4.6	0.5	4.1	60.2	2.9	52.1
東京	647	50	597	13,257	355	10,632	4.7	0.4	4.4	96.6	2.6	77.5
神奈川	338	47	291	6,661	219	4,915	3.7	0.5	3.2	72.7	2.4	53.7
新潟	129	20	109	1,675	50	1,162	5.7	0.9	4.8	73.9	2.2	51.3
富山	106	19	87	760	44	445	10.0	1.8	8.2	72.0	4.2	42.1
石川	94	13	81	876	68	482	8.2	1.1	7.1	76.4	5.9	42.0
福井	68	10	58	575	67	296	8.7	1.3	7.4	73.8	8.6	38.0
山梨	60	8	52	692	38	436	7.3	1.0	6.3	84.1	4.6	53.0
長野	129	15	114	1,581	72	1,025	6.2	0.7	5.5	76.2	3.5	49.4
岐阜	101	12	89	1,585	133	965	5.0	0.6	4.4	78.9	6.6	48.1
静岡	180	31	149	2,708	197	1,766	4.9	0.8	4.1	73.7	5.4	48.1
愛知	324	38	286	5,347	325	3,735	4.3	0.5	3.8	71.1	4.3	49.6
三重	98	12	86	1,525	93	837	5.4	0.7	4.8	84.7	5.2	46.5
滋賀	57	7	50	1,070	39	556	4.0	0.5	3.5	75.7	2.8	39.3
京都	169	11	158	2,459	85	1,308	6.5	0.4	6.1	94.6	3.3	50.3
大阪	521	39	482	8,400	238	5,509	5.9	0.4	5.5	95.2	2.7	62.4
兵庫	350	32	318	5,053	215	2,981	6.4	0.6	5.8	91.8	3.9	54.2
奈良	79	4	75	1,204	39	690	5.9	0.3	5.6	89.3	2.9	51.2
和歌山	83	8	75	1,035	68	540	8.8	0.8	7.9	109.5	7.2	57.1
鳥取	44	5	39	497	38	261	7.8	0.9	6.9	88.0	6.7	46.2
島根	51	8	43	721	42	271	7.4	1.2	6.3	105.3	6.1	39.6

岡山	163	17	146	1,648	153	984	8.5	0.9	7.7	86.4	8.0	51.6
広島	242	31	211	2,546	202	1,566	8.6	1.1	7.5	90.0	7.1	55.4
山口	145	28	117	1,268	117	668	10.5	2.0	8.5	91.7	8.5	48.3
徳島	109	15	94	730	108	428	14.7	2.0	12.7	98.3	14.5	57.6
香川	89	10	79	834	102	474	9.2	1.0	8.2	86.2	10.5	49.0
愛媛	141	14	127	1,245	173	685	10.3	1.0	9.3	91.3	12.7	50.2
高知	129	11	118	560	78	366	18.1	1.5	16.5	78.4	10.9	51.3
福岡	462	61	401	4,666	539	3,094	9.0	1.2	7.9	91.4	10.6	60.6
佐賀	106	14	92	689	158	416	12.9	1.7	11.2	83.6	19.2	50.5
長崎	150	28	122	1,380	247	734	11.1	2.1	9.0	101.9	18.2	54.2
熊本	213	38	175	1,457	319	844	12.1	2.2	9.9	82.5	18.1	47.8
大分	157	25	132	965	247	538	13.6	2.2	11.5	83.8	21.4	46.7
宮崎	140	17	123	884	160	501	12.9	1.6	11.3	81.2	14.7	46.0
鹿児島	246	37	209	1,400	328	815	15.1	2.3	12.9	86.1	20.2	50.1
沖縄	94	13	81	882	76	616	6.5	0.9	5.6	61.1	5.3	42.7

（医療施設調査）

　この表を見て頂くと、それぞれの都道府県にどれだけの診療所があるかが確認できます。さらに注目して頂きたいのは、人口 10 万対施設数で、人口 10 万人に対して医療機関がどれだけあるのか？が表されているデータです。説明した通り、日本においては公的医療保険における診療報酬点数が決まっています。この点数は保険代理店手数料と同じで地域格差はなく全国一律です。ということは、固定費が高い都心部よりも、固定費が安い地方のほうが収益的には良いことになりますが、人口 10 万対施設数が多ければ、それだけ競合相手も多いということになりますので、人口 10 万対施設数が少なくて地方であれば、高収益なクリニックが多いという仮説が立てられます。一つのベンチマークとしては、一般診療所の全国平均 80.1 を下回っている都道府県の中でも下位にある埼玉（58.3）・茨城（59.8）・沖縄（61.1）あたりがエリア的には面白そうだと思います。特に人口が多い関東近郊で 10 万対施設数が全国平均を下回っている地域が多いので、マーケティング的にはこの辺りはねらい目かもしれませんね。逆に和歌山（109.5）・島根（105.3）・長崎（101.9）あたりはターゲットにするには少し苦しいかもしれません。

人口 10 万対施設数が少ない地方のクリニックは高収益？！

◎公的医療保険における診療報酬点数は、地域格差はなく全国一律。つまり、固定費が高い都心部よりも、固定費が安い地方のほうが収益的には有利である。ただ、人口 10 万対施設数が多ければ、それだけ競合相手も多いということに。したがって、"人口 10 万対施設数が少ない、地方"であれば、高収益なクリニックが多いという仮説が成り立つ

人口 10 万対施設（一般診療所）数が…
・多い県：和歌山・島根・長崎・徳島・東京・大阪
・少ない県：埼玉・茨城・千葉・沖縄・北海道・青森

●開業費用

　開業医は親族の診療所を引き継ぐケースがよくありますが、多くは一定年数を勤務医として勤めた後に独立・開業するというケースです。開業時には、かなりの費用が発生するために、勤務医時代にいかに資金を準備するか？が勤務医にとっては大きなテーマになります。

　ただ、比較的開業資金が少なくて済む心療内科や皮膚科を除いて、自己資金だけで開業することは不可能に近いので、金融機関からの借入を行う医師がほとんどです。もちろん心療内科や皮膚科で借入を行って開業する医師も多くいます。開業する際に、診療所をどのような形で立ち上げるかで開業資金は変わってきます。例えば、土地や建物をすべて購入して開業する場合には、土地取得費用や診療所の建築費用も発生するので、高額になりますし、ビルのテナントとして開業する場合には、保証金や内装工事費用で済みますので、その差は非常に大きくなります。

　さらに、「診療科目ごとの特徴」（P.33）で詳しく説明しますが、開業時に標榜する診療科目によって必要な医療機器が違います。外科や整形外科・眼科などは検査や処置に使用する機器が必要になりますし、歯科の場合には、歯科治療台が数台必要になりますので、それだけでも初期費用が変わってきます。もちろんこれらの医療機器は借入金やリースなどのファイナンスを活用していることがほとんどです。

　開業当初はまだ地域に認知されていないので、患者数もそれほど伸びずに収益的には厳しい状態からのスタートとなります。ここでポイントになるのは、開業費用をいかに安くおさえるか？または月々の返済金をいかに少なくするか？ということです。これらにより月々のキャッシュフローが変わってきますので、金融機関と有利な交渉をするには、やはり開業当初の自己資金は多いに越したことがないというのが実態です。そのために開業を志す勤務医に対しては、いかに短期間で開業資金を少しでも多く積み立てておくか、というアドバイスが必要になります。

　ちなみに一般的な開業資金の目安は以下の通りです。

診療科目	開業費用の目安
歯　科	3,000 万円〜7,000 万円程度
内　科	4,000 万円〜9,000 万円程度
外科・整形外科	5,000 万円〜9,000 万円程度
眼　科	6,000 万円〜1 億円程度
耳鼻咽喉科	4,000 万円〜8,000 万円程度
婦人科	5,000 万円〜9,000 万円程度

心療内科・精神科	3,000万円～6,000万円程度
皮膚科	3,000万円～6,000万円程度

※上記費用は、ビルテナントでの開業費用の目安です。

※費用の中には、建物保証金や内装工事・医療機器などを含めています。なお医療機器は一般的に導入される機器を目安にしておりますので、特殊な機器や高額機器を導入する場合には、さらに上乗せになる場合もあります。

●診療所の収益実態

　厚生労働省が2年に1回実施している「医療経済実態調査」において、医療機関の収益状況を集計して公表しています。その数字を抜粋したのが下表になります。

■開業医の経営実態
（個人診療所・入院なし）

	医業収益	医業費用	給与費	給与比率	損益差額	差額比率
内科	79,043	54,330	19,650	24.8%	24,891	31.4%
小児科	134,129	95,205	21,821	16.3%	38,924	29.0%
精神科	62,134	39,129	16,990	27.3%	23,005	37.0%
外科	82,680	69,318	25,827	31.2%	13,362	16.2%
整形外科	116,890	74,051	38,948	33.3%	42,840	36.6%
産婦人科	87,001	73,904	34,048	35.8%	13,097	15.1%
眼科	108,621	64,617	21,325	19.6%	44,004	40.8%
耳鼻咽喉科	77,163	44,841	20,417	26.5%	32,322	41.9%
皮膚科	91,168	60,298	21,528	23.6%	30,869	33.9%
全体	87,570	58,791	21,536	24.6%	28,870	32.9%
歯科	48,306	34,207	14,156	28.8%	14,896	30.3%

※介護保険収益は除く

厚生労働省平成29年実施　第21回　医療経済実態調査より抜粋

■開業医の経営実態
（医療法人・入院なし）

	医業収益	医業費用	給与費	給与比率	損益差額	差額比率
内科	134,043	128,964	67,950	49.7%	7,863	1.2%
小児科	131,040	126,915	62,960	48.0%	4,124	3.1%
精神科	120,105	114,977	67,619	56.3%	5,128	7.6%
外科	147,725	145,494	71,776	48.2%	3,507	2.4%
整形外科	173,427	174,935	100,205	53.5%	12,379	6.6%
産婦人科	178,200	163,043	82,418	46.3%	15,157	10.9%
眼科	168,401	158,073	94,986	56.4%	10,327	6.6%
耳鼻咽喉科	105,717	96,079	59,276	56.1%	9,638	9.1%
皮膚科	100,843	94,408	54,037	53.5%	6,672	6.6%
全体	147,920	141,693	76,011	49.8%	9,034	6.0%
歯科	100,249	94,743	47,514	47.3%	5,679	5.7%

※介護保険収益は除く

厚生労働省平成29年実施　第21回　医療経済実態調査より抜粋

　いわゆる「無床診療所」の主要データをピックアップしました。これを見て頂くと診療所がどのくらいの収益を上げているのか？　もう少し踏み込めば保険料負担能力がどのくらいあるのか？がリアルに感じて頂けると思います。

　この表で注意しなければいけない点が幾つかあります。
● 個人診療所における「給与費」は職員の人件費であり、院長の個人所得は含まれていません。
● 「損益差額」からは、開設者の報酬となる部分以外に、建物、設備について現存物の価値以上の改善を行うための内部資金に充てられることが考えられます。
● 医療法人の給与費には理事長、理事等の報酬も含まれています。
● 医業収益には自由診療における収益も含まれていますが、介護収益は含まれていません。

　個人クリニックと医療法人クリニックの違いや、診療科目による収益の違いがよく分かって頂けると思います。医療法人制度についての詳細は後述しますので、この段階では個人・医療法人の違いと診療科目による収益の違いに着目してもらえれば結構です。

　ここで注目すべきは、歯科クリニックです。一般医科と比較をすると収益力が見劣りしている現状がお分かり頂けると思います。さらに後述しますが、歯科医院は全国で約 68,000 件もあり、うち80%弱が個人開業という実態です。前章でも述べた通り、開業医マーケットを目指す理由が、効率的に大きな成果を上げたいのであれば、個人開業の歯科医院はターゲットから

外すというのも一考です。実際に私自身は医療法人の歯科クリニックの顧客はありますが、個人開業の歯科クリニックは1件もありません。

●診療科目ごとの特徴

　このように開業医といっても診療科目によって収益構造はそれぞれ違い、診療科目ごとに特徴があります。数多く訪問し、数多くの医師と面談をしていくなかで傾向は分かってくると思いますが、ここでは主な診療科目ごとの特徴をご説明していきます。

診療所の診療科目別にみた施設数（重複計上）

2017年（平成29年）10月1日現在

		施設数	総数に対する割合（%）
	一般診療所　　総数	101,471	100.0
1	内科	63,994	63.1
2	呼吸器内科	7,813	7.7
3	循環器内科	13,057	12.9
4	消化器内科（胃腸内科）	18,256	18.0
5	腎臓内科	1,962	1.9
6	神経内科	3,120	3.1
7	糖尿病内科（代謝内科）	3,870	3.8
8	血液内科	445	0.4
9	皮膚科	12,198	12.0
10	アレルギー科	7,475	7.4
11	リウマチ科	4,410	4.3
12	感染症内科	397	0.4
13	小児科	19,647	19.4
14	精神科	6,864	6.8
15	心療内科	4,855	4.8
16	外科	13,076	12.9
17	呼吸器外科	150	0.1
18	心臓血管外科	386	0.4
19	乳腺外科	796	0.8
20	気管食道外科	402	0.4
21	消化器外科（胃腸外科）	1,188	1.2
22	泌尿器科	3,741	3.7
23	肛門外科	3,113	3.1
24	脳神経外科	1,811	1.8
25	整形外科	12,675	12.5
26	形成外科	2,046	2.0
27	美容外科	1,233	1.2

28	眼科	8,226	8.1
29	耳鼻いんこう科	5,828	5.7
30	小児外科	369	0.4
31	産婦人科	2,976	2.9
32	産科	351	0.3
33	婦人科	1,829	1.8
34	リハビリテーション科	11,834	11.7
35	放射線科	3,367	3.3
36	麻酔科	2,008	2.0
37	病理診断科	56	0.1
38	臨床検査科	63	0.1
39	救急科	56	0.1
40	歯科	1,751	1.7
41	矯正歯科科	139	0.1
42	小児歯	196	0.2
43	歯科口腔外科	210	0.2
	歯科診療所　総数	68,609	100.0
40	歯科	67,145	97.9
41	矯正歯科	24,627	35.9
42	小児歯科	43,561	63.5
43	歯科口腔外科	25,708	37.5

 ## ＜歯科＞

　クリニックで一番多く見かける診療科目です。「2017 年医療施設調査」（厚生労働省）では、一般診療所が 101,471 件に対して、歯科診療所は 68,609 件もあることから見ても、歯科クリニックが一番多い診療科目であることが分かります。そのため、競争が激しいので、儲かっているクリニックとそうでないクリニックの差が大きい診療科目です。そのために決算対策や高額な積立という提案よりも、どうすれば負担を減らして保障を大きく確保できるか？という切り口の提案が多くなります。

　歯科医院が儲かっているか否かを見分けるポイントとして、診療する歯科診療台の台数を見ればある程度は分かります。保険診療を中心にしている場合であれば、２台から３台あれば十分に診察することができます。逆に言えば４台以上ある歯科医院は、それだけ患者さんが多く来ており、勤務医や歯科衛生士を多く抱えています。そういう歯科医院は収入が多い可能性が高いです。

　なお歯科医師は、非常に手先のこまかい仕事をしているため、とくに事故やケガで診療ができなくなった場合、一般の医師やその他職業と比較をして復帰するまでに時間が掛かるケースが多いです。そのためにリスクマネジメントとしては、休業時の保障を重点的に考える必要があります。

＜内科＞

　一般診療所の中で、標榜している診療科で一番多いのが内科になります。内科を標榜している診療所数は 63,994 件と、一般診療所の 6 割超が内科となっています。

　内科は一番需要が多い診療科目です。日常生活で熱が出たり、腹痛になった場合にはとりあえず内科のクリニックで受診することが多いと思います。そのために内科だけを標榜しているクリニックもあれば、外科や整形外科でも内科を標榜しているところもあります。内科診療所の件数は多いですが、歯科と違い患者一人あたりの単価が高いのと、需要が多い診療科目でもあるので、歯科医院ほどに経営的に厳しいところは少ないです。内科医の特徴としては、比較的高齢になっても続けている医師も多いので、ライフプランニングとしては現役期間を長くとることが多い点です。

 ＜外科・整形外科＞

　外科と整形外科の違いが分かりにくいですが、一般的に手術をするところが外科で、捻挫や打撲・骨折・腰痛・関節痛などで処置をしてもらうところが整形外科になります。外科の一部が整形外科になるイメージなので、通常は外科を標榜しているクリニックでも打撲や骨折などの処置は行います。私達が外科や整形外科に対してもっているイメージは、待合室に大勢のお年寄りが待っていて、医師の診察よりも電気治療やマッサージなどを受けている人が多いというものではないでしょうか？　外科や整形外科を標榜しているクリニック数は内科に比べて少なく、診療単価も内科と比べて少ないのが特徴で、患者数をいかに多く集めるかがポイントになります。

　診療所によってはかなりの患者数をこなしているところも多く、外科や整形外科はそれなりに高収益を上げている診療所の割合が多いのも特徴です。外科や整形外科の場合、医師や看護師のほかに理学療法士や作業療法士などのスタッフも抱えているために、固定費に占める人件費の割合も比較的高くなっています。そういうスタッフに対する保障や退職金準備なども提案ポイントになるでしょう。

＜眼科＞

　眼科は、コンタクトレンズに関する診察や処方だけでなく、グループでコンタクトレンズの販売を手掛けているところも多いため、他の診療科目と比較をしても高収益なクリニックが多いのが特徴です。最近では、簡単な手術については日帰り手術を行っているところも多く、これも眼科が高収益である要因の一つになっています。さらには歯科や内科と違って軒数も少ないために、眼科クリニックは高収益なクリニックが多いです。

　グループ内のコンタクトレンズ販売を行う別法人も収益を上げていますので、グループ全体としての保険提案を行う余地は十分にあります。さらには高額な医療機器を多数導入しているため、火災保険の活用も検討しなければなりません。これらを踏まえまして、眼科は軒数自体は少ないですが、高収益なクリニックである可能性が高い診療科目でもありますので、ぜひともターゲットにしたい診療科目の一つです。

 ＜耳鼻咽喉科＞

　最近では、新規開業時に人気のある診療科目だけに競争が厳しくなってきているのが耳鼻咽喉科です。産婦人科や内科・外科・眼科などと比較をしても、生命に関わるような重大な医療事故を起こす危険性が少ないために、医学生に人気の診療科目と言われています。耳鼻咽喉科は、花粉症の季節に患者が殺到するために2月から5月くらいの間は、かなり多忙になります。ただ、整形外科と同様に、他の診療科目と比較をしても診療単価が低いために、いかに多くの患者を年間通じて集めるのか？というのが経営のポイントとなります。

　耳鼻咽喉科クリニックの特徴としては、最近に開業したクリニックよりも開業年数が長いクリニックの方が収益を上げている可能性が高いです。以前は耳鼻咽喉科を標榜しているクリニックが少なかったので、それぞれの地域で「耳鼻科と言えば○○先生」と言われていることも多く、そういう耳鼻咽喉科には、家族代々で通院しているケースもよくみかけられます。耳鼻咽喉科へアタックする場合には、新しくてきれいなクリニックよりも少し古くて以前より開業しているクリニックの方が狙い目かもしれません。

＜産婦人科・婦人科＞

　クリニックの中で、産婦人科医が体力的には一番厳しい診療科だと思います。お産を取扱うために、24時間365日備えておく必要があります。現役の産婦人科医であれば、なかなか旅行にも行けないというのが実情です。お産を扱うということは、入院施設が必要ということで、そのために施設規模も大きくなり、スタッフ数も多くなります。ただ、お産を取扱える産婦人科が少なくなってきており、高収益であるクリニックが多くなっています。

　産婦人科医は、かなりのハードワークなので他の診療科と違い長く続けることが難しい診療科でもあります。そのためにある程度の年齢になると、お産の取扱いを止めて婦人科になる産婦人科医も多いです。リスクマネジメントとしては、高収益の間に退職金準備や資産形成などを行うようなプランニングが多くなります。婦人科を単科で標榜しているクリニックは少ないですが、婦人科単科のクリニックは産婦人科が産科を止めたケースや、代々産婦人科クリニックを経営してきたが、代替わりと同時に産科を止めたケースなどが多くみられます。あとは不妊治療をメインで取り扱う婦人科も多くなっています。不妊治療は、保険診療と自費診療とが入り混じった診療なので、高額な治療費になることが多いのと、晩婚化・高齢出産という社会の流れもあり、非常に収益が上がっているクリニックが多いのも特徴です。ただ、第二次ベビーブーム世代が出産時期を過ぎたので、ピーク時期と比較をすると患者の分母数が減少しているのも事実です。

 ## ＜心療内科・精神科＞

　社会的にメンタルヘルスに関する認知が広まってきたことで急激に需要を伸ばしているのが心療内科・精神科です。最大の特徴は、他の診療科目と違って必要な医療機器が少ないので、開業資金も比較的少なくて済みます。そのために最近では心療内科で開業をする医師がかなり多くなってきています。心療内科・精神科は、他の診療科目と比較をしても診療単価は高い方ですが、ただまだ内科や整形外科・耳鼻科に通う感覚まで浸透をしているとは言えないので、それほど収益が高い診療科目とは言えないのが実情です。

　このような心療内科ですが、単価が高いということは患者数が多いクリニックは高収益である可能性が高いので、立地や待合室の状況などにより患者数が多いと思われる心療内科・精神科はぜひともアタックしてみて下さい。

 ## ＜皮膚科＞

　心療内科と同様に、医療機器がそれほど多く必要としない診療科目であるために、最近人気

の診療科目の１つです。特に子供向けのアトピーやアレルギーなどの需要も多い診療科目です。ただ保険診療自体では、それほど診療単価は高くありませんが、人件費等の固定費も比較的抑えることができる診療科目であるために、収益が上がっているクリニックは比較的多い診療科目です。

あとは美容目的の治療を行っている皮膚科では、女性患者も多い上に自費診療のため、高収益なクリニックも中にはあります。アレルギーやアトピー・美容などを全面に打ち出して診療しているかどうかを事前にチェックしておく必要があるでしょう。

■科目ごとの特徴〈主なポイント〉

歯科	競争が激しく、儲かっているクリニックとそうでないクリニックとの差が大きい。診療台が４台以上ある歯科医院は収入が多い可能性が高い。
内科	件数は多いが歯科と違い患者一人当たりの単価が高く、需要も多いため歯科医院ほど経営的に厳しいところは少ない。
外科・整形外科	それなりに高収益を上げている診療所の割合が多い。看護師のほか、理学療法士や作業療法士を抱えているため人件費の割合も高い。スタッフに対する保障や退職金準備も提案ポイントとなる。
眼科	高収益なクリニックが多い。コンタクトレンズ販売を行う別法人を有していることが多く、グループ全体として保険提案を行うことができる。
耳鼻咽喉科	競争が厳しくなってきているが、診療単価が低く、花粉症の患者が殺到する２〜５月以外もいかに患者を集めるかが経営のポイント。開業年数が長いクリニックの方が収益を上げている可能性が高いため、新しいクリニックより以前より開業しているクリニックがねらい目。
産婦人科・婦人科	お産を扱う産婦人科は数が少なくなってきているので高収益であるクリニックが多い。かなりのハードワークのためある程度の年齢になると婦人科に移行するケースが多い。不妊治療は高額な治療費になることが多く非常に収益が上がっているクリニックが多い。
心療内科・精神科	急激に需要を伸ばしており、また、開業資金が比較的少なく済むため開業する医師が増えてきている。診療単価は高い方だがまだまだ受診率が低いため収益が高い診療科目とは言えない。立地や待合室の状況を見て患者数が多いと思われるクリニックはぜひ開拓したい。
皮膚科	心療内科と同様、需要が高く医療機器もそれほど多くそろえる必要がないため人気。診療単価は高くないが、固定費が抑えられるため収益が上がっているクリニックは比較的多い。とくに美容目的の治療は自費診療なので収益が高い。何に力を入れているか事前にチェックしよう。

●儲かっているクリニックと儲かっていないクリニック

　医療機関も、一般サービス業と同じように、同業他社との競合があります。同じ診療科のクリニックが競合している場合、片方のクリニックは患者さんも多く儲かっていますが、もう片方のクリニックは患者さんも少なく儲かっていない場合もあります。

　儲かっているクリニックか儲かっていないクリニックかを、訪問する前から見分ける方法があります。

　まず注目する点は、「経営形態」です。例えばタウンページやホームページなどで、あるクリニックを調べた時に、医療法人または医療法人社団という名前がついていて法人格にしているクリニックは、それなりの確率で「儲かっているクリニック」だと言えます。医療法人については詳細は後述しますが、個人開業医が一定の収入が確保できるようになると、高額な税金を課せられることになります。その対策の１つとして、医療法人形態にしているケースが多いので、医療法人＝儲かっているクリニック、である可能性が高いと言えます。

　次にそのクリニックを外から見て、患者さんの数が多いか少ないかで儲かっているかどうかが分かります。ただ注意しないといけないのは、休日後の午前診療の開始前後は、どこのクリニックも患者さんがある程度いるので、その時間帯で判断をするのは得策ではありません。見るべきポイントは、平日午前の診療時間が終了する間際に、どの程度の患者さんが待合室におられるかという点です。

　1,000 軒近いクリニックを訪問してきた経験で申し上げますと、どの診療科目でも、儲かっているクリニックは、患者さんが殺到するので、診療時間ではすべての患者さんを診察することができずに、診療時間を過ぎても患者さんを診続けています。逆に儲かっていないクリニックでは、診療時間が終了する間際の待合室には誰もいないケースが多く、この時間帯に患者さんが多いか少ないかである程度の予想が付きます。ですのでこの時間帯に行って、クリニックを外からチェックしてみて下さい。

　あと、最近では携帯電話やインターネットで診察時間が予約できるシステムを導入しているクリニックも多くなってきました。そういったクリニックは、患者さんから待ち時間が多いことに対する不満が出ていることが想像できるのと、そのようなシステムを導入しても費用対効果が合うと判断をしたことが想像できるので、儲かっている可能性が高いです。なお診療科目ごとの傾向でいいますと、クリニック数が多く過当競争になっている診療科目では儲かっているクリニックが少なくなっています。具体的には歯科・耳鼻科・心療内科がこれに該当します。逆にクリニック数が少なくて、それほど競争になっておらず儲かっている診療科目は眼科・整形外科・産婦人科がこれに該当します。

●租税特別措置法 26 条

まずはこの条文をご紹介します。

＜租税特別措置法 26 条＞
医業又は歯科医業を営む個人が、各年において社会保険診療につき支払を受けるべき金額を有する場合において、当該支払を受けるべき金額が五千万円以下であり、かつ、当該個人が営む医業又は歯科医業から生ずる事業所得に係る総収入金額に算入すべき金額の合計額が七千万円以下であるときは、その年分の事業所得の金額の計算上、当該社会保険診療に係る費用として必要経費に算入する金額は、所得税法第三十七条第一項及び第二編第二章第二節第四款の規定にかかわらず、当該支払を受けるべき金額を次の表の上欄に掲げる金額に区分してそれぞれの金額に同表の下欄に掲げる率を乗じて計算した金額の合計額とする。

金額	割合
二千五百万円以下の金額	百分の七十二
二千五百万円を超え三千万円以下の金額	百分の七十
三千万円を超え四千万円以下の金額	百分の六十二
四千万円を超え五千万円以下の金額	百分の五十七

※以下、省略

　この条文を簡単に解説しますと、開業医で保険診療収入が 5,000 万円以下で、かつ自由診療などの総収入を合わせて 7,000 万円以下の場合には、概算経費率で所得計算ができるというルールです。この適用により、実際に掛かった経費よりも多く経費が認められて高い節税効果が得られるケースがあります。そのために、租税特別措置法 26 条が適用されているクリニックでは、医業収益はそれほど高くなくても手元資金は潤沢にあるというクリニックもあります。特に歯科医院においては、前述の通り個人クリニックの医業収益平均は約 4,800 万円ですから、このあたりのクリニックはある程度の保険料負担能力があると見込むことができます。

　ただ措置法 26 条が適用されているかどうかは、院長や奥様・顧問税理士に確認するしか方法がないので、ある程度信頼関係が構築できた段階で確認をしてみて下さい。

●医療機関の損税問題

令和元年10月1日より消費税率の引き上げが行われましたが、保険診療については消費税は非課税となっています。ここで簡単に消費税の仕組みを確認しておきます。

◎消費税および地方消費税の負担と納付の流れ

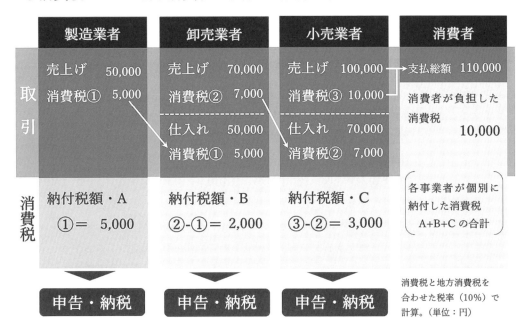

この例では製品に対する消費税の仕組みですが、まず製造業者が製品を作り卸売業者へ販売します。この際に販売価格50,000円に消費税5,000円を乗せた55,000円を受領します。この製造業者は受領した消費税5,000円を申告時に法人税等と同時に納付をします。

次に卸売業者ですが、価格50,000円＋消費税5,000円＝55,000円で仕入れた製品を、小売業者へ70,000円＋消費税7,000円＝77,000円で販売したとします。この場合、小売業者から7,000円の消費税を預かっていますが、製造業者へ5,000円の消費税を支払っているので、7,000円－5,000円＝2,000円の差額分を申告・納税することになります。小売業者も同様で、販売時に預かった消費税と仕入時に支払った消費税の差額分を納税します。この消費税の特徴は、最終消費者が負担をすることになるために「消費税」という名前になっています。

ここで医療機関の場合、冒頭にも書きましたが、保険診療については消費税は非課税売上（自由診療は消費税の課税売上）となるため、消費者（患者）から消費税を預かることはありません。ですが、医療機関も医薬品や物品を購入したり、医療機器を購入する際には消費税を支払うことになります。そのため、消費税を支払うだけで預かることがないために、一方的に消費税を負

担しなければならず、これを医療機関における「損税」と言われています。

　この不公平感をなくすために、診療報酬に控除対象外消費税相当分を補填する措置が導入され、その後の税率引き上げに合わせて、診療報酬がわずかに引き上げられています。なお令和元年 10 月の消費税率引き上げ時には、全体として「医科＋0.48％」「歯科＋0.57％」「調剤＋0.12％」「介護報酬改定 ＋0.39％」の引き上げが実施されました。今回の消費税率 2％引き上げと同率になっていないのは、消費税率が引き上げられることで、引き上げ率 2％がすべて負担増となっているわけではなく、医療機関が受け取る診療報酬のうち、仕入れや光熱費等の消費税対象分だけが負担増となっているためです。

■参考～令和元年 10 月以降の料金例

◎医療費の自己負担が3割の場合

【外来診療】（従来→現在）

　　　　初診料 約 850 円 → 約 860 円

　　　　歯科初診料 約 710 円 → 約 750 円

　　　　調剤基本料1 約 120 円 → 約 130 円

【入　院】（1 日あたり（従来→現在））

　　　　急性期一般入院料1 約 4,770 円 → 約 4,950 円

　　　　地域一般入院料1 約 3,380 円 → 約 3,480 円

※ 薬価については、薬価改定による価格の引き下げを行った上で、消費税引き上げ分を上乗せしているが、一部品目では、消費税引き上げにより価格が上がっている。

　この、医療機関における「損税」は結構、根深い問題があり、例えば MS 法人へ支払う業務委託費は消費税の対象となるために負担が大きくます。そしてＭＳ法人側での経費の多くは人件費であるため、人件費は消費税対象ではありませんから、単純に税負担が増えることになります。

　さらに根深い問題は地方自治体が運営する公的病院の問題です。公的病院の多くは赤字経営となっており、この赤字を運営する地方自治体が議会承認を経て補填しているのが現状です。

　なお消費税は、国税である消費税と、地方税である地方消費税とに区分されています。以前の8％では、消費税：6.3％・地方消費税：1.7％となっております。消費税率が 10％に引き上げられた 10 月 1 日以降は、消費税：7.8％・地方消費税：2.2％となっています。

　ちなみに厚生労働省が発表した令和元年 5 月の調査によると、都道府県・市区町村が開設者となっている病院は全国に 810 か所あり、合計の病床数は 177,779 床となっています。この中で経営的に黒字の病院もありますが、多くは赤字経営となっています。

　総務省が発表している平成 27 年のデータを見ますと、1,000 床近い病床を持つ某県の県立病院は年間で 40 億円近い赤字を出しています。この県の平成 27 年度における税収のうち地方

消費税による税収は約 300 億円でした。ということは、地方消費税で入ってきた税収のうち 13.3%はこの県立病院の赤字の補填に使われているということになります。しかもこの県立病院が、医療機械を仕入れたり、薬剤や消耗品を購入する際には消費税を支払っています。消費税を負担して損をして、その損を消費税で補填しているという何とも皮肉な結果になっています。

　もちろん公的病院の赤字は、消費税負担だけでなく、職員は公務員扱となるために人件費が大きくなっていることが主な要因と考えられます。地方の公的病院は運営母体である都道府県や市区町村から赤字になっても資金補填が受けられるだけまだマシです。地方の私立病院やクリニックは当然ながら赤字になっても補填はされません。そうすると、消費税負担が増えることで損税が拡大し、経営がたちゆかなくなる医療機関が出てくる可能性が高いのではないでしょうか…。

　都心部であれば、医療機関は幾つもあるので、仮に一つの病院・クリニックが経営破綻をして診療を停止しても代替の医療機関は幾らでもあります。ですが地方においては、その病院・クリニックが破綻をして診療を停止すれば、代替の医療機関が周囲にないケースも多くありますので、その地域の住民は医療を受けるのに何十キロも離れた医療機関へ行かなければならないという事態も想定されます。

　こうして消費税増税が引き金となって地域医療の崩壊へと繋がっていくのでは？と私は懸念しております。

根深い「損税」の問題～地域医療の崩壊へ繋がる!?

消費税は事業者ではなく、商品やサービスの最終的な消費者が負担するもの。しかし、保険診療が非課税であるため、医療機関が医薬品や医療機器の仕入れの際に支払った消費税を患者に転嫁できず、医療機関の負担となる、つまり「損税」となる。

地方自治体が運営する公的病院の多くは赤字経営となっており、地方自治体が議会承認を経てこれを補填している（300 億円の税収のうち実に 40 億円を県立病院の赤字補填に回している自治体も！）。
私立病院やクリニックは当然ながら赤字になっても補填はされない。そうすると、消費税負担が増えることで損税が拡大し、経営難に陥る医療機関が…。

都心部であれば、仮に一つの病院・クリニックが経営破綻をしても代替の医療機関は多いが、地方においては代替の医療機関が周囲にないケースも多くあるので、その地域の住民は医療を受けるのに何十キロも離れた医療機関へ行かなければならないという事態も想定される。

●医療機関の広告規制

　医療機関については、医療法第 6 条の5 において広告として表示できる内容が決まっています。参考のためにこの条文を抜粋します。

　第六条の五　何人も、医業若しくは歯科医業又は病院若しくは診療所に関して、文書その他いかなる方法によるを問わず、広告その他の医療を受ける者を誘引するための手段としての表示（以下この節において単に「広告」という。）をする場合には、虚偽の広告をしてはならない。
　2　前項に規定する場合には、医療を受ける者による医療に関する適切な選択を阻害することがないよう、広告の内容及び方法が、次に掲げる基準に適合するものでなければならない。
　　一　他の病院又は診療所と比較して優良である旨の広告をしないこと。
　　二　誇大な広告をしないこと。
　　三　公の秩序又は善良の風俗に反する内容の広告をしないこと。
　　四　その他医療に関する適切な選択に関し必要な基準として厚生労働省令で定める基準
　3　第一項に規定する場合において、次に掲げる事項以外の広告がされても医療を受ける者による医療に関する適切な選択が阻害されるおそれが少ない場合として厚生労働省令で定める場合を除いては、次に掲げる事項以外の広告をしてはならない。
　　一　医師又は歯科医師である旨
　　二　診療科名
　　三　当該病院又は診療所の名称、電話番号及び所在の場所を表示する事項並びに当該病院又は診療所の管理者の氏名
　　四　診療日若しくは診療時間又は予約による診療の実施の有無
　　五　法令の規定に基づき一定の医療を担うものとして指定を受けた病院若しくは診療所又は医師若しくは歯科医師である場合には、その旨
　　六　省略
　　七　入院設備の有無、第七条第二項に規定する病床の種別ごとの数、医師、歯科医師、薬剤師、看護師その他の従業者の員数その他の当該病院又は診療所における施設、設備又は従業者に関する事項
　　八　当該病院又は診療所において診療に従事する医療従事者の氏名、年齢、性別、役職、略歴その他の当該医療従事者に関する事項であつて医療を受ける者による医療に関する適切な選択に資するものとして厚生労働大臣が定めるもの
　　九　患者又はその家族からの医療に関する相談に応ずるための措置、医療の安全を確保するための措置、個人情報の適正な取扱いを確保するための措置その他の当該病院又は診療所の管理又は運営に関する事項
　　十　紹介をすることができる他の病院若しくは診療所又はその他の保健医療サービス若しくは福祉サービスを提供する者の名称、これらの者と当該病院又は診療所との間における施設、設備又は器具の共同利用の状況その他の当該病院又は診療所と保健医療サービス又は福祉サービスを提供する者との連携に関する事項
　　十一　診療録その他の診療に関する諸記録に係る情報の提供、第六条の四第三項に規定する書面の交付その他の当該病院又は診療所における医療に関する情報の提供に関する事項
　　十二　当該病院又は診療所において提供される医療の内容に関する事項（検査、手術その他の治療の方法については、医療を受ける者による医療に関する適切な選択に資するものとして厚生労働大臣が定めるものに限る。）
　　十三　当該病院又は診療所における患者の平均的な入院日数、平均的な外来患者又は入院患者の数その他の医療の提供の結果に関する事項であつて医療を受ける者による医療に関する適切な選択に資するものとして厚生労働大臣が定めるもの
　　十四　その他前各号に掲げる事項に準ずるものとして厚生労働大臣が定める事項
　4　省略

　この条項は医療法が制定された1948年（昭和23年）当時から盛り込まれていますが、その後のメディアの発展・発達に合わせる形で改正が何度も行われています。直近の改正は2017年に行われ、その後の2018年10月に厚生労働省医政局総務課発の文章として「『医業若しくは歯科医業又は病院若しくは診療所に関する広告等に関する指針（医療広告ガイドライン）に関するＱ＆Ａについて』の改訂について」により、詳細な解説が行われています。

　特に医療機関が運営するホームページへ記載する内容については、「医療機関ネットパトロール」というサイトを外部業者へ委託をして運営し、怪しいサイトの取り締まりを行っています。

厚生労働省委託事業
医業等に係るウェブサイトの監視体制強化事業
医療機関ネットパトロール

医療機関のウェブサイトにうそや大げさな表示があったら、情報をお寄せください

- 医療機関のウェブサイトにうそや大げさな表示がないかどうかを監視するのが『医療機関ネットパトロール』です。
- 『医療広告ガイドライン』違反の疑いがあるウェブサイトの情報をお寄せください。
- ウェブサイトに不適切な表示や表現を見つけたら、このサイトから通報してください。

 見つけてください。あなたの目で！
うそや大げさな表示は、『医療広告ガイドライン』違反です。

医療機関ネットパトロール　通報フォーム

下記のフォームに記入してください。URLが複数ある場合は、「サイト中の気になる表示とその理由」欄に入力してください。「医療機関名」が不明の場合は空欄で送付してください。

医療機関名（または店名・ウェブサイト名）必須

上記機関の所在地 必須
… ▼
※その他・不明の場合は、最下部の「その他・不明」を選択してください。

　以前のように駅の看板や電話帳広告だけなら、それほど問題にはならなかったのですが、これだけネットが発達し、SEOやリスティング広告を駆使してウェブサイトのアクセスを伸ばすことが集患・増患につながる時代になりましたので、この規制が厳しくなりました。

　実際に筆者の契約者であるクリニックにおいて、この「医療機関ネットパトロール」経由で厚生労働省からホームページの修正が求められた事例もあります。このクリニックでは、かなり独自の治療を自由診療で行っており、評判は非常に良いので、同一診療科の他クリニックの妬みを買って通報されたのでは？と考えています…。

　医療機関における広告規制と、WebやSNSを使った集患・増患は紙一重のところがあります。詳細に規制内容を知っておく必要はありませんが、ある程度の概略は押さえておいたほうが良いでしょう。

院長夫人の「クリニック経営は今日も大変!!」

「難しい院長婦人の立ち位置」

［奥田］

　今日は院長夫人ということに焦点を絞って、ご苦労や実際のところについてお話を聞かせて頂きたいと思いますので、よろしくお願いします。

［永野］

　院長夫人は立ち位置がとても難しいんですよ。

［奥田］

　なぜですか？

［永野］

　院長夫人という立場は、医師が勉強して医学部に入り資格を取って開業をするような、その立場になるために苦労が必要な訳ではないですから、同性は開業医と結婚ができた「ラッキーな人」のように見る方が多いです。

［奥田］

　なるほどですね。クリニック経営にしっかりと入っていらっしゃる院長夫人は何かと大変ですね。

［永野］

　院長夫人によっては、自分の生活スタイルを出さずに隠している人もいるんですよ。実際の収入を感じさせないような生活をしている方もいらっしゃいますが、私は演じるのはしんどいなと思っています。知識や品格など持ってないのに持ってるフリとか、スタッフと収入に大差ないフリとかはやめようと思っています。

　自分は自分のしたいことをするスタイルを、「人一倍働くから、できる」と思われるくらいクリニックのために働こうと思っています。だからスタッフからやっかまれているくらいでは、私はまだまだだと思いますね。ただこうしてわりきれるまでは、結構悩みましたけど…。

［奥田］

　実際のお仕事としては、クリニックの事務長的な内容だと思うのですが、本当に多岐にわたる内容ですよね。

[永野]

　本当にいろいろなことに対応していますよ。先日もクリニックの物干しにできた蜂の巣をなんとかしてほしいと言われ業者さんに頼んだり、共有の駐車スペースで起きた事故についての対応をしながら、クリニックの規定やマニュアルを作ったり、スタッフの研修をしたりしていますから大変です。なかなか辛いところですね（苦笑）。ですから税理士さんやFPさんが「奥さん、大変ですよね？」と労ってくれると嬉しいですね。

[奥田]

　院長夫人でもクリニックの経営にしっかり入っていらっしゃる方って本当に大変ですよね。なかなか評価されにくい仕事ですし。院長先生は評価されているでしょうが…。

[永野]

　いや、なかなか口に出して感謝を言わないタイプですね（笑）。ある奥様がおっしゃってましたが、院長から「よくやってるよ」「よく頑張ってるよ」ってかなり言われるそうですが、言われすぎると心がこもってない感じがして有り難みがないそうです。言われないのも残念ですが、言われすぎても納得できるとは限らないそうです。

[奥田]

　院長夫人というお立場は、社会的には経済面では多少は豊かかもしれないですが、それ以上に一般的には体験しない苦労が多いですよね？　自宅兼診療所で開業されているクリニックの奥様で、周りの目ややっかみもあるので毎朝自宅周辺だけでなく町内を掃除しておられる方もいらっしゃると聞きました。

[永野]

　結構、院長夫人で「うつ」になる方もいらっしゃると聞きます。あとはクリニックのために生きるという奥さんとそうでない奥さんとに分かれると思いますね。周囲の人や患者さんの目を意識し過ぎて真面目に取り組む人はストレスがたまると思いますね。

　例えば、スタッフはネイルをしたくてもできないですから、いつでもスタッフの代わりに受付に立てるようにネイルをしたくてもしないとか、自分に「院長夫人」としてのルールを課している人はしんどいと思いますね。私も自分にとってフィットする状態を探していますがなかなか難しいですよね…キレたいところで、理性が働いて本音が言えず、結局辛抱です。社会人としては当たり前なんですけどね…。

スタッフからの持ち物チェックも

子供の教育は深刻な問題

[奥田]

　院長夫人にとって大切なことは、ご自身のスタンスとして「私はこう生きるんだ」と決めることでしょうか？

[永野]

　そうですね。あとは見た目も重要かも？　私のような容姿とすらっと美人の院長夫人では見られ方が違うかもしれません。クリニックは女性の職場なので、女性の目に晒されているのは良い意味でも悪い意味でも事実ですから。

　細かいスタッフは、私の洋服や持ち物にとても高い関心を示すこともあります。アップルウォッチを買ったら、「おかねもちぃー！」と言われました。アップルウォッチを買えるくらいは仕事をしていると思いますけどね（苦笑）。私は働くことを選択したので、見た目とか持ち物とかではなく、仕事ができるという評価をプライドにして頑張っていきたいですね。

[奥田]

　院長は男性ですから、そういうスタッフと院長夫人の微妙な感覚に気付いてないというか気付かないケースが多いのではないですか？

[永野]

　そうですよ。女性同士はなかなか複雑ですからね。あと私は子供がいないので助かりますが、他の奥様を見ていて大変だろうなと思うのは子供さんの成績ですよ。どこの学校に行ってるとかですね。

　開業の地域にもよるのでしょうが、ウチが開業した街は教育熱心な街でもあるので、スタッフも教育熱心な人が多く、受験の時期は、スタッフとの会話もデリケートになりますね。ウチは子供がいないので、巻き込まれなくて本当に良かったと思いますよ。院長の子供というだけで「医学部ですか？」と散々聞かれる訳ですから…。

[奥田]

　自宅兼診療所になると、スタッフのお子さんと学区が一緒になる可能性がありますよね？

[永野]

　それは大変！（笑）

[奥田]

　スタッフの子供さんと院長の子供さんが同じ学校や同じ塾に通うことになると、勉強ができるできないも言われるようになりますよね？

[永野]

　どうしてもそうなるから、できるだけ同じ学校に通わなくて済む私学志向になって当然ですよね。子供が勉強できないとなると、夫は当然、医学部出身ですから奥さんが高学歴でない場合は、子供の成績が悪いと奥さんの原因にされてしまう！（笑）

　先日、私のブログに院長夫人の心境を川柳にしてアップしました。「忙しい　母に妻　嫁　クリニック」。これがしっかりと経営をサポートしている奥さんの心境と実態だと思いますよ。

//

第3章

保険営業として知って
　　　　おくべき医療法人制度

厳格なルールがある医療法人の運営

Check　Point！・"医療法人制度"に精通している保険営業パーソンは本当にごく

　　　　　　　わずかなので差別化を図るのであれば、この分野を押さえてお
　　　　　　　けば提案チャンスも増え、単価アップにもつながる。
　　　　　　・とりわけ開業医から法人化のアドバイスを求められた際に、『メ
　　　　　　　リット』と『デメリット』をキチンと伝え、ライフプランニン
　　　　　　　グや医業経営面からアドバイスできることが大切。

　何度も繰り返しますが、開業医マーケットを目指す理由が効率的に成果を上げることであれ
ば、お伝えしたように医療法人の収益性はかなり高いので、医療法人へのアプローチは外せま
せん。そして、医療法人制度についてのアドバイスは、通常は開業医に精通している税理士や行
政書士でないとできない分野であり、「医業専門」をうたっている会計事務所でもよくわかって
いないケースが多々あります。さらに医療法人制度に精通している保険営業パーソンは本当に
ごくわずかです。そのために保険営業パーソンとして差別化を図るのであれば、この分野は押
さえておくべきですし、この分野を押さえておけば医療法人への提案チャンスが増え、単価ア
ップにもつながります。そこで本章では、保険営業パーソンとして知っておくべき医療法人制
度について解説します。

●医療法人とは

　そもそも医療法人とは、医療法を根拠規定とした法人格のことを言います。医療法第6章の
条文を幾つか紹介しておきます。

　第39条　病院、医師若しくは歯科医師が常時勤務する診療所又は介護老人保健 施設を開設
　しようとする社団又は財団は、この法律の規定により、これを法人とすることができる。
　　2　前項の規定による法人は、医療法人と称する。

　医療法第6章の冒頭の条文である第39条です。医療法人は常時勤務する医師又は歯科医師
が1名以上で病院・診療所・介護老人保健施設を開設する社団と財団（社団と財団の違いの詳
細は後述します）を医療法人とすると規定しています。昭和25年に制定された最初の医療法で
は、医療法人を設立するには3名以上の医師又は歯科医師が必要でした。ですが、昭和60年の
医療法改正で、常時勤務する医師または歯科医師が1名以上いれば開設できるという内容に変
更されました。この改正から、医師または歯科医師が1名で医療法人を設立することが増えた
ために、無床診療所で医師は院長だけという経営形態でも医療法人が設立できるようになった

ので、医療法人にしている無床診療所を「一人医師医療法人」と呼ばれるようになりました。

第44条　医療法人は、都道府県知事の認可を受けなければ、これを設立することができない。
　2　医療法人を設立しようとする者は、定款又は寄附行為をもつて、少なくとも次に掲げる事
　　項を定めなければならない。（以下省略）
　3　財団たる医療法人を設立しようとする者が、その名称、事務所の所在地又は理事の任免の
　　方法を定めないで死亡したときは、都道府県知事は、利害関係人の請求により又は職権で、
　　これを定めなければならない。
　4　医療法人の設立当初の役員は、定款又は寄附行為をもつて定めなければならない。
　5　第二項第九号に掲げる事項中に、残余財産の帰属すべき者に関する規定を設ける場合に
　　は、その者は、国若しくは地方公共団体又は医療法人その他の医療を提供する者であつて
　　厚生労働省令で定めるもののうちから選定されるようにしなければならない。
　6　省略

　医療法44条では、医療法人の設立には都道府県知事の認可が必要とされています。そのため
に都道府県庁へ認可申請手続きを行うのですが、この認可申請手続きは各都道府県によってか
なりルールが異なります。「（都道府県名）医療法人 設立認可申請」というキーワードで検索を
すると、その都道府県庁のページが出てきますので、ご興味のある方はそちらをご確認下さい。
各都道府県に共通して言えるのは、一般法人のように簡単に設立ができる訳でなく、年2回程
度、決まった時期に設立認可申請を都道府県庁へ提出する流れで（下記囲み参照）、設立が認可
されて初めて登記ができます。

　そして上記44条2項に「定款又は寄附行為」を定めるとありますが、「定款」とは株式会社
を含む社団である一般法人にて作成をする「運営上の基本規則」です。「寄附行為」というのは、
財団法人を設立する際に作られる「運営上の基本規則」になります。ちなみに厚生労働省は医療
法人における「定款」「寄附行為」の「モデル」を作成しており、この「モデル定款」「モデル寄
附行為」に従って定款と寄附行為を制定することになります。じつはこの「モデル定款」「モデ
ル寄附行為」が非常に重要で、この文章を見ていると、厚生労働省が医療法人運営をどのように
考えているのか？がよく分かります。本書では、社団医療法人へアプローチすることが多いと
思いますので、巻末資料として「モデル定款」を掲載しておきます。ぜひともご一読下さい。

■参考〜東京都の医療法人設立認可までの日程（令和以降）

【第1回】
　　申請書の受付期間：令和元年8月26日〜30日まで
　　医療審議会の開催：令和2年2月初旬
　　認可書の交付　　：令和2年2月下旬
【第2回】
　　申請書の受付期間：令和2年3月16日〜23日まで
　　医療審議会の開催：令和2年8月初旬
　　認可書の交付　　：令和2年8月下旬

医療法人はすぐに
設立できない。
東京では申請から
認可まで、約5か月
必要

●社団と財団

　医療法人の類型には大きく分けて「社団」と「財団」があります。人が集まり、設立するのが社団です。一般的な医療法人のほとんどは社団医療法人です。社団医療法人は複数の人が出資して設立する法人で、出資者は社員となり、出資額に応じて出資持分（持分は後述します）を有し、退社・解散に際し、持分に応じて払戻し分配を受けることができます。なお、出資しない人であっても社員になることができます。ここでいう社員とは、一般的に理解されている従業員等としての社員ではなく、会社でいう株主に近い位置づけになります。これに対して財団医療法人は、個人または法人が無償で寄附した財産に基づいて設立される法人で、財産の提供者（寄附者）に対しても持分を認めず、解散したときは理事会で残余財産の処分方法を決め、知事の認可を受けて処分します。なお前述の通り、法人の運営ルールを定めているのが、社団医療法人は「定款」、財団医療法人は「寄附行為」です。

社団
複数の人が出資して設立

財団
個人または法人が無償で寄附した財産に基づいて設立

↑ 一般的な医療法人のほとんどは社団医療法人

●医療法人の運営

　医療法人を理解するのに非常に重要な医療法人の運営について解説をします。

＜社員総会＞

　社団医療法人における最高意思決定機関は「社員総会」で株式会社における「株主総会」に該当します。この社員総会を構成するのが「社員」と呼ばれる存在ですが、これは株式会社における「株主」とは少しニュアンスが異なります。株式会社における「株主」は、保有する株数の割合によって議決権と財産権が変わりますが、「社員」は財産権としての「出資持分の保有」は関係なく、しかも社員総会における社員の議決権は「1社員1票」と定められています。したがって「出資持分を持たない社員」も存在しますし、出資持分をすべて持っている社員であったとしても、社員総会における議決権は1票に過ぎず、すべてを決定できる立場にはありません。
※出資持分に関する解説は後述します。

（社員・社員総会の関係図と社員・社員総会の主な権限）

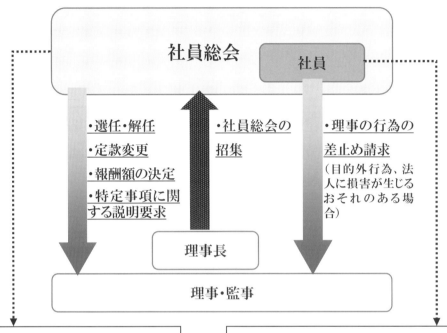

【社員総会の権限（主なもの）】

・理事・監事の選任・解任

・定款の変更

・事業報告書等の承認

・理事・監事に対する特定事項に関する説明徴求

・理事・監事の報酬額の決定（定款で額が定められていないとき）

・理事等の法人に対する損害賠償責任の一部免除

・合併・分割の同意（全社員の同意により合併・分割が可能）

・解散の決議

【社員の権限（主なもの）】

・社員総会の招集請求（総社員の1/5以上の社員により請求が可能）

・理事の行為の差止め請求（理事が法人の目的の範囲外の行為その他法令等に違反する行為をし、当該行為によって法人に回復できない損害が生じるおそれのあるとき）

・理事・監事等の責任追及の訴え（法人に訴えの提起を請求し、60日以内に法人が訴えの提起をしない場合、当該請求をした社員が提起可能）

・理事・監事の解任の訴え（不正行為又は法令・定款違反にもかかわらず、解任決議が社員総会で否決されたときは、総社員の1/10以上の社員により提起可能）

　なお社員総会においては、事業報告書等の承認や定款変更、理事・監事の選任や解任に関する権限があり、法人の業務執行が適正でない場合には、理事・監事の解任権限を適切に行使して、適正な法人運営体制を確保することが社員総会の責務であるとされています。なお財団医療法人における最高意思決定機関は「評議員会」と言い、その評議員会を構成するのが「評議員」となります。財団医療法人の場合、社員総会とは運営ルールは若干異なりますが、診療所を運営する財団医療法人はごくわずかであるためにここでは割愛します。

＜理事・理事会・理事長＞

　「理事」は医療法人の業務運営や意思決定に参画する役員として、理事会を構成します。なおこの理事会は、医療法人の業務執行を決定したり、理事の職務執行の監督や理事長を選出・解職する権限を持っています。この理事会において選出された法人の代表が「理事長」です。

（理事の関係図と主な義務）

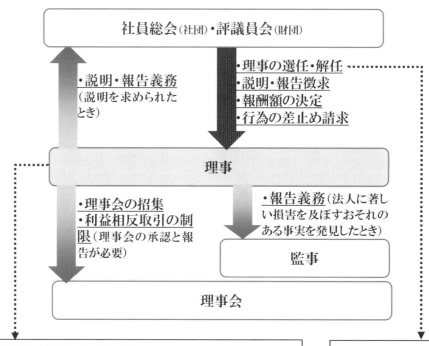

【理事の義務等（主なもの）】

・忠実義務（法令、定款又は寄附行為、社員総会又は評議員会の決議を遵守し、法人のため忠実に職務を行う義務）
・善管注意義務（民法の委任の規定に基づく善良な管理者の注意義務）
・競業及び利益相反取引の制限（自己又は第三者のために法人と取引をする場合等において理事会の承認と報告が必要）
・社員総会・評議員会における説明・報告義務（社員又は評議員から説明又は報告を求められたとき）
・監事に対する報告義務（法人に著しい損害を及ぼすおそれのある事実を発見したとき）

【理事の責任（主なもの）】

・法人に対する損害賠償責任（任務を怠ったことにより生じた損害を賠償する責任）
・第三者に対する損害賠償責任（職務につき悪意・重大な過失があった場合に第三者に生じた損害を賠償する責任）

【理事の解任】

社団の場合：いつでも、社員総会の決議により解任が可

財団の場合：次のいずれかに該当するときは、評議員会の決議によって解任が可
①職務上の義務に違反し、又は職務を怠ったとき②心身の故障のため、職務の執行に支障があり、又はこれに堪えないとき

（理事会・理事長の関係図と理事会の主な権限）

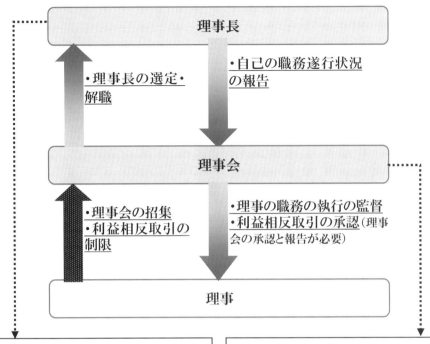

【理事長の権限（主なもの）】
・法人の業務に関する一切の裁判上・裁判外の行為
※法人は、理事長の職務について第三者に加えた損害を賠償する責任を負う

【理事長の義務（主なもの）】
・理事会への職務執行状況の報告義務
　（3か月に1回以上。定款により毎事業年度2回以上（4か月を超える間隔）に緩和可。報告の省略は不可）

【理事会の権限（主なもの）】
・法人の業務執行の決定
・理事の職務の遂行の監督
・理事長の選定及び解職
・競業・利益相反取引の承認
・監事等の監査を受けた事業報告書等の承認
※以下の事項の決定を理事に委任することは不可
　①重要な資産の処分・譲受け、②多額の借財、③重要な役割を担う職員の選任・解任、④従たる事務所その他の重要な組織の設置・変更・廃止、⑤定款（寄附行為）の定めに基づく役員等の責任の免除

<監事>

　監事は、医療法人の業務・財務の状況を監査し、毎会計年度終了時に監査報告書を作成し、社員総会及び理事会へ提出します。

（監事の関係図と主な権限）

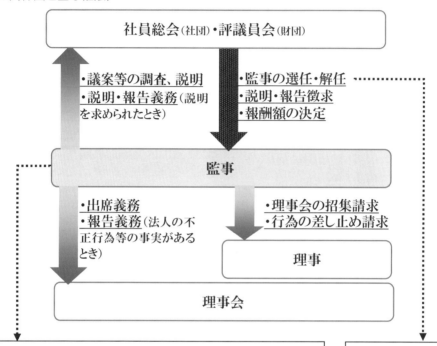

【監事の権限（主なもの）】

・法人の業務、財産の状況の監査
・事業報告書等の監査
・善管注意義務（民法の委任の規定に基づく善良な管理者の注意義務）
・不正等の報告のための理事会等の招集請求
・理事の行為の差止め請求（理事が法人の目的の範囲外の行為その他法令・定款違反の行為をし又はそのおそれがあり、当該行為により法人に著しい損害が生ずるおそれがあるとき）
・法人と理事との間の訴えにおける法人の代表

【監事の義務等（主なもの）】

・理事会への出席義務
・理事会等への報告義務（法人の業務又は財産に関して不正行為又は法令・定款等に違反する事実があるとき）
・社員総会・評議員会の議案等の調査・報告義務（報告義務については法令・定款違反又は著しく不当な事項がある場合）
・社員総会・評議員会における説明・報告義務（→理事と同じ）

【監事の責任】（→損害賠償責任　理事と同じ）

【監事の解任】

社団、財団とも、解任事由については理事と同じ。ただし、解任には社員総会又は評議員会において出席者の3分の2以上の賛成による決議が必要

●医療法人の類型

44条5項には、医療法人解散時における残余財産の分配についての規定があります。

第四十四条　医療法人は、その主たる事務所の所在地の都道府県知事（以下この章（第三項及び第六十六条の三を除く。）において単に「都道府県知事」という。）の認可を受けなければ、これを設立することができない。
（2～4省略）
5　第二項第十号に掲げる事項中に、残余財産の帰属すべき者に関する規定を設ける場合には、その者は、国若しくは地方公共団体又は医療法人その他の医療を提供する者であつて厚生労働省令で定めるもののうちから選定されるようにしなければならない。

これについては医療法人の歴史と類型から説明を致します。

平成 19 年 4 月に施行されました第五次改正医療法によって、出資持分のある医療法人が新設できなくなりました。まずは下の厚生労働省資料をご確認下さい。これを見て頂くと、左側と右側で幾つかの違いがあることがお分かり頂けると思います。まずは「特別医療法人」については、平成 24 年 3 月末を持って廃止された制度であり、現在は存在していませんので無視して頂いて結構です。次に社団医療法人の中の「持分あり」と「持分なし」ですが、平成 19 年 4 月 1 日以降に設立認可申請をする医療法人については、「持分あり」法人が作れなくなりましたので、平成 19 年 4 月 1 日以後に設立認可申請された社団医療法人はすべて「持分なし」となっています。

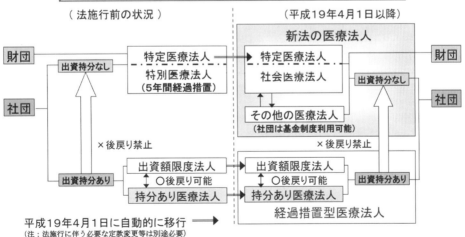

●出資持分とは？

「出資持分」とは何でしょうか？

●出資持分とは

　社団医療法人に出資した者が、当該医療法人の資産に対し、出資額に応じて有する財産権をいいます（ただし、前記の通り、社団医療法人であっても、出資持分が存在しないものや、出資持分の及ぶ範囲が制限されているものもあります）。

　出資持分は、経済的価値を有する財産権であり、定款に反するなどの事情がない限り譲渡性が認められ、贈与税や相続税の課税対象ともなり得ますが、定款の規定に基づく払戻請求権や残余財産分配請求権として行使されるのが最も典型的な権利の発現形態であるといえます。

　なお、出資持分は、株式等とは異なり、社員の地位と結合した概念ではないことに注意が必要です。

※厚生労働省　出資持分のない医療法人への円滑な移行マニュアルより

　この説明文にあるように、出資持分とは、社団医療法人へ出資した額に応じて持っている財産権になります。財産権の考え方は株式会社における株式と同じ考え方なので分かりやすいと思います。例えば医療法人を設立する際に 2,000 万円を出資して事業を開始します。その後利益を上げて内部留保が厚くなりますと、どんどんその出資金の財産権としての価値が高まっていきます。その財産価値が高まった出資金を相続・贈与する際には高額な相続税・贈与税の負担が必要となります。ただ株式会社の株式と医療法人における「出資持分」の違いは、前述の通り医療法人の最高意思決定機関である「社員総会」の構成員である「社員」は出資持分を持っていなくてもなれますし、出資持分の保有割合で行使できる議決権割合が決まってない点です。「社員」の概念は多くの医療法人理事長や理事が取り違えていますし、議決権割合についても勘違いされている方が大勢おられるのが事実です。

　医療法人を解散した場合に、解散時に残っている財産（残余財産といいます）が出資持分割合に応じて出資持分を持っている人に分配されるのが、従来の「持分あり医療法人」でした。この権利を「残余財産分配請求権」といいます。さらに出資持分を持っている社員が社員を辞める際に、持分割合に応じて医療法人が保有している財産の払戻を請求できる権利を「払戻請求権」といいますが、この「残余財産分配請求権」と「払戻請求権」が第五次改正医療法の議論の中で問題視されました。

財産価値が高まった出資金を相続・贈与する際には高額な税負担が必要

●持分あり医療法人が禁止された経緯

　小泉純一郎氏が首相をしていた時に「聖域なき構造改革」の取組をしていたのを記憶されている方は多いと思います。この「聖域なき構造改革」の目玉は郵政事業の民営化でしたが、他方、膨大に膨れ上がっている医療費に歯止めをかけるために「医療改革」を打ち出していました。この医療改革において「株式会社の医療参入」が議論になりました。

　当時の政府は、効率的な医療提供を行えば増え続ける医療費に歯止めをかけることができるので、コスト管理に長けている株式会社による医療機関経営を推し進めようとしましたが、これに猛反対したのが厚生労働省と日本医師会です。厚生労働省と日本医師会が主張したのは「医療法人経営は非営利の原則があるのに、営利目的で経営をする株式会社が医療に参入するのはおかしい」ということです。ここでいう「非営利」という概念は非常に重要なので説明をしておくと、「非営利」というのは「儲けてはいけない・利益を出してはいけない」という意味ではなく、「儲けた利益を構成員に分配してはいけない」という意味です。（ですからNPO法人（特定非営利活動法人）も法人運営で利益を上げてはいけないわけでなく、上げた利益を構成員に分配をしてはいけないというのが運営要件になっています）。

　この「非営利性の原則」を盾にして医療への株式会社参入を阻止したい厚生労働省と日本医師会でしたが、政府の「経済財政諮問会議」より、「医療法人の運営は非営利が原則と言いながら、出資持分を持っている社員が退社した際の払戻請求権や解散時の残余財産分配請求権は実質的に出資持分を持っている社員への利益分配であるからその主張はおかしい」との反論を受け、「それであれば以後は出資持分がない医療法人しか作れないように制度を変える」としたうえで株式会社の医療参入を退けた経緯があり、その後の第五次改正医療法において、出資持分がある医療法人が禁止されたという経緯があります。

　そして2007年（平成19年）4月1日以後に設立申請を行う医療法人は「出資持分なし」の医療法人となり、それ以前に設立された「出資持分がある医療法人」は「経過措置型医療法人」として**当面は**そのまま継続されることになったという経緯があります。この経過措置型医療法人は「持分あり医療法人」とか「旧法の医療法人」などと表現されますが、改正から10年以上を経過した今でも大半の医療法人は「持分あり医療法人」として存続をしています。

　厚生労働省の本音としては、すべて出資持分のない医療法人へ移行させたいのですが、これは法律で強制することはできず、あくまでも医療法人側が自主的に出資持分を放棄して持分なし医療法人へ移行するしかできないために、その移行を促進する制度を作っているというのが現状です。

強化される医療法人の"非営利性"！

まず「出資持分」とは社団医療法人へ出資した額に応じて持っている財産権（＝株式会社における株式に類似）のこと。「持分あり医療法人」では、医療法人を解散した場合に、解散時に残っている財産は出資持分割合に応じて出資持分を持っている人に分配される＝「残余財産分配請求権」と、出資持分を持っている社員が辞める際に同様に割合に応じ財産の払戻を請求できる＝「払戻請求権」がある。

第5次改正医療法の議論のなかで、「非営利性の原則」があるにもかかわらずこれらが存在することが問題となり、平成 19 年 4 月1日以後に設立申請された社団医療法人は「持分なし」に限定されることとなった。ただ、それまでの「持分あり医療法人」は法的に強制移行できないのでそのまま存続している。全国の医療法人のうち、約 7 割が現在も出資持分あり医療法人。そして、新たに設立される持分なし医療法人のほとんどが「基金拠出型医療法人」となっている。

●基金拠出型医療法人

　第五次改正医療法施行後の医療法人は出資持分がない医療法人のみとなりましたが、医療法人を作って運営するには株式会社でいう「資本金」を出資しなければ原資がありません。そのために当初の運営資金として「基金」を拠出するのですが、現在作られている持分なし医療法人のほとんどが基金拠出型医療法人です。

◎基金とは
　社団医療法人に拠出された金銭その他の財産であって、当該医療法人が拠出者に対して医療法施行規則第３０条の３７及び第３０条の３８並びに当該医療法人と当該拠出者との間の合意の定めるところに従い返還義務（金銭以外の財産については、拠出時の当該財産の価額に相当する金銭の返還義務）を負うものをいいます。

※厚生労働省　出資持分のない医療法人への円滑な移行マニュアルより

　この拠出された基金は基金拠出者への返還義務がありますが、出資持分とは異なりその拠出額以上の財産権はありませんので、医療法人の運営により出資金評価が上がるということもありません。なお医療法人類型にある「社会医療法人」と「特定医療法人」については、病院を対象とする場合には知っておくべき制度ではありますが、本書はクリニックの開業医を対象としているため、ここでは詳細な説明は割愛します。詳しく知りたい方は、『改訂版 医療法人の設立・運営・承継・解散』（医業経営研鑽会著・出版社：日本法令）や、『医療法人の設立・運営・承継と税務対策（全訂六版）』（青木惠一著・出版社：税務研究会出版局）、に詳しく解説されていますので、それらにてご確認下さい。

●医療法人数

厚生労働省が発表している平成 31 年 3 月 31 日時点での医療法人数は下表の通りです。

種類別医療法人数の年次推移

年　別	医　療　法　人					一人医師医療法人（再掲）	特定医療法人（再掲）			特別医療法人（再掲）			社会医療法人（再掲）		
	総数	財団	社　団				総数	財団	社団	総数	財団	社団	総数	財団	社団
			総数	持分有	持分無										
昭和45年	2,423	336	2,087	2,007	80		89	36	53						
50年	2,729	332	2,397	2,303	94		116	41	75						
55年	3,296	335	2,961	2,875	86		127	47	80						
60年	3,926	349	3,577	3,456	121		159	57	102						
61年	4,168	342	3,826	3,697	129	179	163	57	106						
62年	4,823	356	4,467	4,335	132	723	174	58	116						
63年	5,915	355	5,560	5,421	139	1,557	179	58	121						
平成元年	11,244	364	10,880	10,736	144	6,620	183	60	123						
2年	14,312	366	13,946	13,796	150	9,451	187	60	127						
3年	16,324	366	15,958	15,800	158	11,296	189	60	129						
4年	18,414	371	18,043	17,877	166	13,205	199	60	139						
5年	21,078	381	20,697	20,530	167	15,665	206	60	146						
6年	22,851	381	22,470	22,294	176	17,322	210	60	150						
7年	24,725	386	24,339	24,170	169	19,008	213	60	153						
8年	26,726	392	26,334	26,146	188	20,812	223	63	160						
9年	27,302	391	26,911	26,716	195	21,324	230	64	166						
10年	29,192	391	28,801	28,595	206	23,112	238	64	174						
11年	30,956	398	30,558	30,334	224	24,770	248	64	184						
12年	32,708	399	32,309	32,067	242	26,045	267	65	202	8	2	6			
13年	34,272	401	33,871	33,593	278	27,504	299	65	234	18	3	15			
14年	35,795	399	35,396	35,088	308	28,967	325	67	258	24	5	19			
15年	37,306	403	36,903	36,581	322	30,331	356	71	285	29	7	22			
16年	38,754	403	38,351	37,977	374	31,664	362	67	295	35	7	28			
17年	40,030	392	39,638	39,257	381	33,057	374	63	311	47	8	39			
18年	41,720	396	41,324	40,914	410	34,602	395	63	332	61	10	51			
19年	44,027	400	43,627	43,203	424	36,973	407	64	343	79	10	69			
20年	45,078	406	44,672	43,638	1,034	37,533	412	64	348	80	10	70			
21年	45,396	396	45,000	43,234	1,766	37,878	402	58	344	67	6	61	36	7	29
22年	45,989	393	45,596	42,902	2,694	38,231	382	51	331	54	3	51	85	13	72
23年	46,946	390	46,556	42,586	3,970	39,102	383	52	331	45	2	43	120	19	101
24年	47,825	391	47,434	42,245	5,189	39,947	375	49	326	9	1	8	162	28	134
25年	48,820	392	48,428	41,903	6,525	40,787	375	50	325	0	0	0	191	29	162
26年	49,889	391	49,498	41,476	8,022	41,659	375	46	329	0	0	0	215	34	181
27年	50,866	386	50,480	41,027	9,453	42,328	376	48	328	0	0	0	239	34	205
28年	51,958	381	51,577	40,601	10,976	43,237	369	49	320	0	0	0	262	34	228
29年	53,000	375	52,625	40,186	12,439	44,020	362	49	313	0	0	0	279	35	244
30年	53,944	369	53,575	39,716	13,859	44,847	358	47	311	0	0	0	291	34	257
31年	54,790	374	54,416	39,263	15,153	45,541	359	52	307	0	0	0	301	33	268

注１：平成８年までは年末現在数、９年以降は３月３１日現在数である。

注２：特別医療法人は、平成２４年３月３１日をもって経過措置期間が終了したため、平成２４年４月１日
　　　以降の法人数は０となる。

（厚生労働省調べ）

なお都道府県別の医療法人数の内訳は下表の通りです。

都道府県別医療法人数　　　　　　　　　　　　　　　　平成 31 年 3 月 31 日現在

| | 医療法人 | | | | | 出資額限度法人（再掲） | 基金拠出型法人（再掲） | 特定医療法人（再掲） | 社会医療法人（再掲） | 一人医師医療法人（再掲）設立認可件数 | | |
| | 総数 | 財団 | 社団 | | | | | | | | | |
			総数	持分有	持分無					総数	医科	歯科
北海道	2,626	4	2,622	1,918	704	16	131	17	41	2,045	1,356	689
青森	350	3	347	275	72	4	63	1	2	273	229	44
岩手	375	3	372	261	111	8	89	6	3	292	233	59
宮城	851	9	842	608	234	2	225	3	2	671	578	93
秋田	341	4	337	260	77	8	59	5	3	261	199	62
山形	465	2	463	368	95	6	85	2	3	402	334	68
福島	849	3	846	673	173	3	151	5	4	740	620	120
茨城	978	2	976	704	272	3	222	3	2	702	560	142
栃木	791	3	788	612	176	3	154	10	3	583	497	86
群馬	856	4	852	622	230	14	205	6	1	727	588	139
埼玉	2,653	17	2,636	1,829	807	10	769	14	9	2,143	1,603	540
千葉	2,116	12	2,104	1,417	687	9	640	8	8	1,755	1,252	503
東京	6,282	95	6,187	3,823	2,364	28	1,855	18	16	5,511	3,890	1,621
神奈川	3,452	36	3,416	2,246	1,170	5	1,051	17	5	2,960	2,197	763
新潟	937	6	931	706	225	21	193	7	5	837	666	171
富山	308	6	302	224	78	1	71	5		224	167	57
石川	481	5	476	355	121	3	93	5	2	398	300	98
福井	320	6	314	249	65		33	9		258	202	56
山梨	249	3	246	184	62	2	47	5	1	197	163	34
長野	774	8	766	608	158	5	129	5	8	673	536	137
岐阜	727		727	543	184	7	134	9	5	574	458	116
静岡	1,416	2	1,414	1,099	315	4	300	3	1	1,220	1,019	201
愛知	2,228	9	2,219	1,518	701	13	650	17	8	1,787	1,413	374
三重	673	1	672	526	146	5	124	4	3	564	472	92
滋賀	477		477	349	128	3	123	3	1	417	351	66
京都	1,038	21	1,017	730	287	4	267	7	4	861	702	159
大阪	4,365	26	4,339	3,021	1,318	7	1,229	16	38	3,997	3,174	823
兵庫	2,289	20	2,269	1,593	676	4	611	21	9	1,940	1,584	356
奈良	507	8	499	342	157	3	149	2	5	399	353	46
和歌山	419		419	341	78	1	58	2	4	345	294	51
鳥取	324	7	317	277	40		27	2	2	287	220	67
島根	338	2	336	283	53	2	31	4	5	276	224	52
岡山	985	1	984	786	198	3	153	15	11	821	661	160
広島	1,515	1	1,514	1,139	375	5	334	6	7	1,304	1,072	232
山口	758	3	755	596	159	7	131	4	2	629	541	88
徳島	576		576	485	91	1	80	2	4	454	334	120
香川	577	4	573	422	151	3	113	2	1	470	372	98
愛媛	917	5	912	747	165		138	10	7	766	608	158
高知	398	1	397	311	86	2	49	8	2	271	212	59
福岡	2,908	8	2,900	2,175	725	13	677	19	17	2,329	1,951	378
佐賀	451	1	450	325	125	2	103	7	2	347	278	69
長崎	861	10	851	694	157	3	140	10	6	698	566	132
熊本	1,065	3	1,062	837	225	11	172	10	7	835	671	164
大分	703	6	697	503	194	5	165	8	10	506	415	91
宮崎	602	2	600	445	155	4	106	7	4	484	408	76
鹿児島	1,094	2	1,092	854	238	12	119	6	14	894	710	184
沖縄	525		525	380	145	8	102	4	4	414	347	67
計	54,790	374	54,416	39,263	15,153	283	12,550	359	301	45,541	35,580	9,961

・備考「一人医師医療法人設立認可件数の推移」（3 月末時点）

昭和 62 年　320 件／昭和 63 年 815 件／平成元年 2,417 件／平成 2 年 7,218 件／平成 3 年 9,881 件／平成 5 年 13,822／平成 7 年 17,828 件／平成 9 年 21,324 件／平成 11 年 24,770 件／平成 13 年 27,504 件／平成 15 年 30,331 件／平成 17 年 33,057 件／平成 19 年 36,973 件／平成 21 年 37,878 件／平成 23 年 39,102 件／平成 25 年 40,787 件／平成 27 年 42,328 件／平成 29 年 44,020 件／平成 30 年 44,847 件／平成 31 年 45,541 件

＊一人医師医療法人(再掲)欄には、昭和 61 年 9 月以前に設立された医療法人で、調査時点において、医師もしくは歯科医師が常時 3 人未満の診療所も含まれている。

　これらの図表で注目して頂きたいのは、前述の第五次改正医療法が施行される平成 18 年から平成 19 年の間に設立された持分あり医療法人数の伸びです。毎年 1,000 件超の件数が設立されているのに対してこの 1 年間だけは倍近い 2,000 件超の医療法人が設立されています。そし

て平成 19 年 4 月 1 日までに設立認可申請を出して、その後に認可されて設立している医療法人もありますので、平成 20 年の 43,638 件をピークに徐々に減ってきており、とうとう 39,263 件と 40,000 件を下回る法人数になりました。

　これに対して出資持分がない医療法人は、当初は設立する件数は少なかったのですが、第五次医療法改正によって出資持分あり医療法人が設立ができなくなると増加に拍車がかかり、平成 23 年以後件数を伸ばし、最近では毎年 1,500 件近い持分なし医療法人が設立されています。これは法人税の減税が進み、所得税との税率格差が大きくなる傾向が進んだために税負担を軽減したいというニーズにより医療法人を志向される方や、開業医の高齢化により医業承継をスムーズに進めるために医療法人化を行ったのではないか？と考えられます。

　あと、各都道府県別の医療法人数のデータには、持分なし医療法人における基金拠出型医療法人数が出ており、この基金拠出型医療法人が第五次改正医療法以後に設立された持分なし医療法人の中のうちの基金拠出型になります。これだけみても 12,000 件超になっていますので、従来型の経過措置型医療法人だけでなく基金拠出型医療法人についても制度をしっかりと理解した上でアプローチをする必要があります。

> 全国の医療法人数は約 5.5 万、そのうち持分あり医療法人は約 4 万、持分なし約 1.5 万。その持分なし医療法人のうち約 1.2 万は基金拠出型となっている

●医療法人運営管理指導要綱

　厚生労働省は、医療法人を設立する際の「定款」「寄附行為」について、モデルを提示していることは書きましたが、それとは別に医療法人を運営するにあたっての基本的なルールとして「医療法人運営管理指導要綱」というものをホームページ上で公表をしています。これが医療法人運営の基本となりますので、ここをキッチリと理解しておけば、医療法人の開業医に対して医療法人運営のアドバイスが可能になります。ここも非常に重要な点となりますので、主要なポイントを押さえて解説します。詳細は巻末付録の全文をご確認下さい。

　2.役員（1）定数・現員
　3.役員として理事 3 人以上、監事 1 人以上を置いていること。また、3 人未満の理事を置く場合は都道府県知事の認可を得ていること。
　＜備考＞・医療法第 46 条の 5 第 1 項
　理事 3 人未満の都道府県知事の認可は、医師、歯科医師が常時 1 人又は 2 人勤務する診療所を一か所のみ開設する医療法人に限る。その場合であっても、可能な限り、理事 2 人を置くことが望ましい。

医療法人の運営に際して、理事は 3 名以上、監事は 1 名以上置くことが要件だとされています。これは理事会決議をする際に 3 名以上でないと多数決での議決ができないためだとされていますが、診療所を 1 か所だけ経営する医療法人については、都道府県知事の認可が得られれば 3 名未満の理事構成でも構わないとされている規定です。

　2.役員(3) 適格性
　1.自然人であること。
　2.欠格事由に該当していないこと。(選任時だけでなく、在任期間中においても同様である。)
　＜備考＞医療法第 46 条の 5 第 5 項（欠格事由）
①成年被後見人又は被保佐人。
②医療法、医師法等、医療法施行令第 5 条の 5 の 7 に定める医事に関する法令の規定により罰金以上の刑に処せられ、その執行を終わり、又は執行を受けることがなくなった日から起算して 2 年を経過しない者。
③ ②に該当する者を除くほか、禁錮以上の刑に処せられ、その執行を終わり、又は、執行を受けることがなくなるまでの者
なお医療法人と関係のある特定の営利法人の役員が理事長に就任したり、役員として参画していることは、非営利性という観点から適当でないこと。

　医療法人の理事として適格なのは「自然人であること」とされています。これは医療法人の理事に法人は就任することができず、あくまでも「自然人（個人）」であることが要件とされています。さらにその後の規定で欠格事由に該当しないこととありますが、備考の最後の一文に「**なお医療法人と関係のある特定の営利法人の役員が理事長に就任したり、役員として参画していることは、非営利性という観点から適当でないこと。**」とあります。この一文を一見すると「**医療法人と関係のある法人の役員が理事長や理事になることはできない**」すなわち「**理事長や理事はＭＳ法人の役員を兼務できない**」（ＭＳ法人については第 5 章で詳述します）と思われがちですが、よく見ますと最後に「**非営利性という観点から適当でない**」と書かれています。ということは医療法人と関連法人との間で非営利性が担保されていれば、兼務は問題ないと理解できますし、さらに言えば「適当でない」との表現であって「禁止されています」とは書かれていない点は注目点です。

理事長・理事は関連法人の役員を兼務できる？

　「理事長や理事は MS 法人の役員を兼務できない」と思われがちだが、『非営利性という観点から適当でない』と記されているため、
①非営利性が担保されていれば、兼務することは問題ないと理解できる。
②あくまで「適当でない」という表現であり、「認められない」と禁止しているわけではないので兼務は可能であるという解釈もできる。(第 5 章で解説)

2.役員（4）代表者（理事長）

　3.理事長は医師又は歯科医師の理事の中から選出されていること。

　4.医師又は歯科医師でない理事のうちから理事長を選出する場合は都道府県知事の認可を得ていること。

＜備考＞・医療法第46条の6第1項・医療法第46条の6第1項ただし書

・医師、歯科医師でない理事のうちから選任することができる場合は以下のとおりである。

① 理事長が死亡し、又は重度の傷病により理事長の職務を継続することが不可能となった際に、その子女が医科又は歯科大学（医学部又は歯学部）在学中か、又は卒業後、臨床研修その他の研修を終えるまでの間、医師又は歯科医師でない配偶者等が理事長に就任しようとする場合

② 次に掲げるいずれかに該当する医療法人

　イ.特定医療法人又は社会医療法人

　ロ.地域医療支援病院を経営している医療法人

　ハ.公益財団法人日本医療機能評価機構が行う病院機能評価による認定を受けた医療機関を経営している医療法人

③ 候補者の経歴、理事会構成等を総合的に勘案し、適正かつ安定的な法人運営を損なうおそれがないと都道府県知事が認めた医療法人。

　医療法人の理事長は医師又は歯科医師の理事の中から選出すべきとされている規定です。ですが、医師または歯科医師以外の理事を理事長にすることも本要綱の中では認めています。具体的には、①**「理事長が死亡等により職務が継続できず、子息が医師になる準備をしているような場合」**で奥様などが一時的に理事長職を務めるケース②**医師以外の者が理事長になっても法人運営が適正に行われると都道府県知事が認めた医療法人**、の2つです。なおイ～ロについては、いわゆる1人医師医療法人においては適用されませんので、ここでは省略します。実際の現場で頂く相談の多くは②のケースです。現在、医療法人を運営している理事長が後継者を指名する際に、医師でないご子息を指名したいと考えるケースがあり、それは可能なのか？というご質問です。これについては『都道府県によって対応の温度差はありますが、厚生労働省は非医師の理事長就任はできないとは言っていませんので、**制度上は可能**かと思われます。ですが、実際に資格を持たない理事長の指示を医師や看護師といった有資格者はキチンと聞いて行動するでしょうか？　現実的には**医師や看護師を無資格者が指示をしてマネジメントすることはほぼ不可能**だと思われますので、非医師の理事長就任は止めた方が良いと思います。もしどうしてもとおっしゃるのであれば、**非医師の理事長のマネジメントがキチンとできる体制を構築されてからの移譲が必要**です』とお伝えするとほぼすべての理事長は「そりゃそうだよね…」と納得されます。

医師以外でも理事長になれないことはないが無資格者ではまず指揮できない…

NO!

2．役員(5) 理事

1.当該法人が開設する病院等（指定管理者として管理する病院等を含む。）の管理者はすべて理事に加えられていること。

2．（省略）

3.実際に法人運営に参画できない者が名目的に選任されていることは適当でないこと。

4.理事は、当該法人に著しい損害を及ぼすおそれのある事実があることを発見したときは、直ちに、その事実を監事に報告しなければならないこと。

5.理事は、医療法人との利益が相反する取引を行う場合には、理事会において、当該取引につき重要な事実を開示し、その承認を受けなければならないこと。また、当該取引後、遅滞なく理事会に報告しなければならないこと。

　＜備考＞

・医療法第 46 条の 5 第 6 項

・医療法第 46 条の 5 第 6 項ただし書

・医療法第 46 条の 6 の 3

・医療法第 46 条 6 の 4 により読み替える一般社団法人及び一般財団法人に関する法第84 条

理事に対する要件です。上記項目の要件をまとめますと下記になります。

①クリニックで分院を出す場合には、分院長（分院の管理医師）は理事に加えなければならない。

③法人運営に参画できないような高齢者や学生などが名目として理事に就任しているのは適当でないが、逆に言えば学生であっても法人運営に参画できるような場合には、理事への就任は問題ない。

④生命保険の契約者名義変更プランなどのように、法人に著しい損害を与える事実があることを発見したら、すぐにその事実を監事に報告しなければならない。

⑤生命保険の契約者名義変更プランなどのように、法人と利益相反になる取引を行う場合には、事実をすべて開示した上で理事会の承認を得なければならない。

　　特に①は、キチンと守られているクリニックは多いですが、まれに分院長は理事（役員）で良いのに、社員にしなければならないと勘違いをして、最高意思決定機関である社員総会の社員にさせているケースを見かけます。これは医療法人運営において重大なリスクを背負うことになりますので、そんな医療法人を見つけた場合にはすぐに変更するようにアドバイスをしてあげて下さい。

　　あと③は学生である子息を理事に入れて、医療法人から理事報酬が支払えるか？という問題とつながってきます。もちろん、医療法人運営に参画しておらず名目だけの理事であれば報酬は払えませんが、現役医学

部生として最新の医療情報を収集し、お盆・正月に帰省をした際、臨時理事会を開いて、その得た最新の医療情報をフィードバックすることで医療法人運営に役立たせることは可能です。そうすることで理事報酬を支払うことの妥当性は生まれてくるのではないでしょうか？

　④と⑤は第４章・第七次改正医療法における医療法人のガバナンスで詳細は解説をしますので、ここでは割愛します。

　4　社員（社団たる医療法人）（1）現員
　1.社員名簿の記載及び整理が適正に行われていること。
　2.社員は社員総会において法人運営の重要事項についての議決権及び選挙権を行使する者であり、実際に法人の意思決定に参画できない者が名目的に社員に選任されていることは適正でないこと。
　＜備考＞
　・社員名簿の記載事項は次のとおり
　①氏名②生年月日（年齢）③性別④住所⑤職業⑥入社年月日（退社年月日）⑦出資持分の定めがある医療法人の場合は出資額及び持分割合⑧法人社員の場合は、法人名、住所、業種、入社年月日（退社年月日）（なお、法人社員が持分を持つことは、法人運営の安定性の観点から適当でないこと）
　・未成年者でも、自分の意思で議決権が行使できる程度の弁別能力を有していれば（義務教育終了程度の者）社員となることができる。
　・出資持分の定めがある医療法人の場合、相続等により出資持分の払戻し請求権を得た場合であっても、社員としての資格要件を備えていない場合は社員となることはできない。

　社員に関する要件について、重要なポイントは備考の⑧です。医療法人の理事に法人は就任できませんでしたが、最高意思決定機関である社員総会の構成員である社員には法人が就任することも可能です。さらに**「法人社員が持分を持つことは、法人運営の安定性の観点から適当でないこと」**とされていますが、この一文を読むと「法人社員が出資持分を持つことは、医療法人の安定性に支障がなければ可能」とも理解ができます。実際に相続・医業承継対策としてＭＳ法人等の関連法人に出資持分を持たせることは有効な手段の一つとされています。なお備考の最後にありますが、出資持分を相続や贈与で得たからと言って、必ずしも社員になれる訳ではありません。この辺りは株式会社における株式や株主の概念とは相当異なりますので、注意が必要です。

　4　社員（社団たる医療法人）（3）議決権
　1.社員の議決権は各１個であること。
　＜備考＞
　・医療法第 46 条の３の３第１項
　・出資額や持分割合による議決数を与える旨の定款の定めは、その効力を有しない。

医療法人運営の一番怖い点は、ここにあります「社員の議決権は各 1 個である」という規定です。備考欄にありますように、いくら出資持分を持っていても、さらにその出資持分の割合を持って議決権を決めるというような定款を作っていてもすべて無効で、社員 1 名に 1 個の議決権が与えられています。

　これはどういうことを表しているか？と言えば、医療法人の理事長が社員になっていても議決権は 1 個、奥様の理事が社員になっていても議決権は 1 個ということです。すでに見て頂いているように医療法人の運営は社員 3 名以上が望ましいとされているので、もう 1 人、社員に就任する必要があり、例えば長男などの親族や、顧問税理士や顧問弁護士などの外部ブレーンが社員に就任した場合で、社員である奥様ともう一人の社員が結託すれば、理事長をいとも簡単に追い出すことができます。こうして実際に医療法人が乗っ取られるケースは多々ありますし、現に理事長が追い出されて奥様が運営している医療法人を筆者は知っています。

　さらに、理事長が存命中の場合は良いですが、理事長が亡くなって相続が発生した場合、変に家族全員を社員にしていると、今度は「争族」問題に発展します。実際に見かける社員構成としては、理事長（父）・理事（母）・理事（長男・医師）・理事（次男・非医師）・理事（長女・非医師）という 5 名の構成で、この状態で理事長が亡くなり、長男の理事が医療法人を引き継いで経営をしようと思っても、母・次男・長女との遺産分割協議が不調に終われば、次男・長女そして母の 3 名に結託されてしまいますと、後を継ぐことができずに追い出されるリスクがあります。この場合、前述の通り医療法人の社員総会は最低 3 名で構わないので、後を継ぐ予定のない相続人を社員に入れておくべきではありません。ただこれも理事長・奥様・長男の 3 者の思惑は微妙に異なりますから、この場合、誰の立場に立ってどうアドバイスするか？によって異なる点は注意が必要です。

II　業務 2.附帯業務
1.附帯業務の経営により、医療事業等主たる事業の経営に支障を来たしていないこと。
＜備考＞
・医療法第 42 条各号・その開設する病院、診療所、介護老人保健施設及び介護医療院の業務に支障のない限り、定款又は寄附行為の定めるところにより、平成 19 年 3 月 30 日医政発第 0330053 号医政局長通知に掲げる業務（これに類するものを含む）の全部又は一部を行うことができる。

　医療法人は、定款の定めにより「医療機関の運営」という本来業務の他に、本来業務に関連するような附帯業務を行うことも認められています。備考にある通達の他に改正がされており、附帯業務として行える業務範囲は広がっていますが、ここでは詳細な解説は割愛します。ご興味のある方は厚生労働省の関連通達にて確認するか、『改訂版　医療法人の設立・運営・承継・解散』（医業経営研鑽会著・出版社：日本法令）の 86 ページ～94 ページをご確認下さい。

Ⅲ 管理２.資産管理

　1.基本財産と運用財産とは明確に区分管理されていること。

　2.法人の所有する不動産及び運営基金等重要な資産は基本財産として定款又は寄附行為に記載することが望ましいこと。

　3.不動産の所有権又は賃借権については登記がなされていること。

　4.基本財産の処分又は担保の提供については定款又は寄附行為に定められた手続きを経て、適正になされていること。

　5.医療事業の経営上必要な運用財産は、適正に管理され、処分がみだりに行われていないこと。

　6.そのため、現金は、銀行、信託会社に預け入れ若しくは信託し、又は国公債若しくは確実な有価証券に換え保管するものとすること（売買利益の獲得を目的とした株式保有は適当でないこと）。

　7.土地、建物等を賃貸借している場合は適正な契約がなされていること。

　8.現在、使用していない土地・建物等については、長期的な観点から医療法人の業務の用に使用する可能性のない資産は、例えば売却するなど、適正に管理又は整理することを原則とする。その上で、長期的な観点から医療法人の業務の用に使用する可能性のある資産、又は土地の区画若しくは建物の構造上処分することが困難な資産については、その限りにおいて、遊休資産の管理手段として事業として行われていないと判断される程度において賃貸しても差し支えないこと。ただし、当該賃貸が医療法人の社会的信用を傷つけるおそれがないこと、また、当該賃貸を行うことにより、当該医療法人が開設する病院等の業務の円滑な遂行を妨げるおそれがないこと。

　医療法人が所有する財産に関する規定です。我々保険営業パーソンが注目すべき点としては、6の「**現金は、銀行、信託会社に預け入れ若しくは信託し、又は国公債若しくは確実な有価証券に換え保管するものとすること（売買利益の獲得を目的とした株式保有は適当でないこと）。**」という規定です。実際に医療法人の理事長や理事は、個人資産をかなり保有しておりこの資産運用については積極的に行っている方が大勢おられます。その延長線上で、医療法人が保有する預金を運用されている方も多く見受けられますが、運営管理指導要綱では、「売買利益確保が目的の株式保有は適当でない」旨が書かれており、厳密に言えば医療法人が行う資産運用は適当でないとされています。そのために、外貨建て生命保険や変額保険を活用するケースが多くなっています。ちなみに厚生労働省の見解としては、生命保険商品はあくまでも「保障確保」が目的であるので、その商品が外貨であっても変額であっても構わないとされています。

> 運営管理指導要綱では、「売買利益確保が目的な株式保有は適当でない」ことが書かれている。
> つまり、医療法人が行う資産運用は適当でない！

そこで、外貨建て生命保険や変額保険を活用！
生保商品は「保障確保」が目的なので認められる

●医療法人の非営利性

　まずは医療法 54 条の規定をご確認下さい。

　医療法第五十四条
　医療法人は、剰余金の配当をしてはならない。

　これは、医療法人が運営上で得た剰余金は関係者に配当をしてはならないという規定です。株式会社の場合は営利法人ですから、運営上で得た剰余金は「配当金」として株主に配当することは認められていますし、健全な組織運営のためには剰余金の配当は行うべきとされています。

　この剰余金の配当という行為が、いわゆる「営利行為」であり、医療法人には「非営利性」が求められているという根拠がこの条文となります。ちなみにこの 54 条に違反をして配当をした場合には、医療法 93 条の罰則規定が適用されます。

　第九十三条　次の各号のいずれかに該当する場合においては、医療法人の理事、監事若しくは清算人又は地域医療連携推進法人の理事、監事若しくは清算人は、これを二十万円以下の過料に処する。ただし、その行為について刑を科すべきときは、この限りでない。
　（一〜六は省略）
　七　第五十四条（第七十条の十四において準用する場合を含む。）の規定に違反して剰余金の配当をしたとき。
　（以下、省略）

　医療法 54 条の規定に違反をして配当をした場合には、20 万円以下の過料が科せられます。この過料というのは金銭を徴収する制裁の一つです。金銭罰ではありますが、罰金や科料と異なり、刑罰ではありません。特に刑罰である科料と同じく「かりょう」と発音するので、混同しないよう過料を「あやまちりょう」、科料を「とがりょう」と呼んで区別することがある金銭罰のことをいいます。

　実際に、医療法人の剰余金を配当する人はまずいませんが、実質的に配当に類似する行為が幾つかあり、これに該当すると、医療法 54 条違反だと指摘を受ける可能性があります。例えば岡山県のホームページでは次の資料が公開されています。

剰余金の配当禁止について（医療法第５４条関係）

　医療法人の非営利性の位置付けとして、医療機関等の運営により生じた利益（剰余金）を社員等へ分配することは禁止されています。

　また、配当ではなくても、事実上の利益の分配とみなされる行為として、次のような事例は配当類似行為として適切ではないとされています。

・近隣の土地建物の賃借料と比較して、著しく高額な賃借料の設定

・病院等の収入等に応じた定率賃借料の設定

・役員への不当な利益の供与

・個人又は他の法人への寄附

さらに大阪府のホームページでは以下の情報が公開されています。

Ｂ．医療法人の運営

５．剰余金配当の禁止と役員の報酬等

剰余金配当の禁止

医療法人は、利益の配当ができません。
剰余金の配当が禁止されている非営利法人であり、会社法上の株式会社とは異なります。（法第54条）

- 事実上、配当とみなされる行為も行えません（例：役員等への貸付など）。
- 利益剰余金は積立金とし、施設改善、従業員の待遇改善など、本来業務の充実に当ててください。
- 剰余金の配当をした場合については、罰則が定められています。（法第93条第１項第７号）

役員の報酬等

役員の報酬等（※）は、定款または寄附行為にその額を定めていないときは、
社員総会または評議員会の決議によって定める必要があります。（法第46条の6の4）
※報酬、賞与その他の職務執行の対価として医療法人から受ける財産上の利益。

このページの作成所属
健康医療部　保健医療室保健医療企画課　医事グループ

なお厚生労働省が発表している「出資持分のない医療法人への円滑な移行マニュアル」の中に、下記の行為は理事等への特別利益供与となり、実質的な配当行為に該当するため医療法54条に抵触すると書かれています。

① **理事等だけが利用する社宅あるいは理事長等への土地・建物等の貸し付けがある。**
→医療法人資産の目的外利用となり、認められません。社宅の場合は、社宅規定があり、職員と同様の取り扱いにて実施される福利厚生目的を除き、特定の者に対する利益供与となります。

② **理事等に対し、個人的な資金の貸し付け、いわゆる貸付金がある。**
→貸付そのものが禁止とされています。医療法人の資金は、医療法人の目的に対して支払われるべきで、その余剰資金を理事等に貸し付けることは、明らかな利益供与となります。

③ **医療法人が所有する資産を、理事等に無償または著しく低い価格で譲り渡している。**
→これも理事等に対する利益供与であり、実質的な利益配当を禁止する規定です。

④ **理事等が主宰する関連会社から資金を借り入れ、通常金利よりも高い金利を支払っている。**
→ここでの問題は、通常より高い金利を払うことで、経済的な利益を与えるとともに実質的な利益配当に繋がることから認められないというものです。

⑤ **理事等から、過大な価格で資産の譲り受けを受ける、もしくは、医療法人の事業に使用しない資産を理事等から譲り受ける。**

⑥ **医療法人の土地や建物に、理事等の個人的借入金の抵当権等が付いている。**
→事実上の利益供与となります。例えば、ある理事が関与する企業もしくは MS 法人と呼ばれる会社の借入金のために、医療法人の土地や建物に抵当権を設定したとします。仮に、この会社が借入金を返さないとなると、抵当権を設定した金融機関等は医療法人の土地や建物を差し押さえることとなります。医療法人の土地や建物に他人や他社の抵当権を設定するということは、医療法人の財産を差し押さえて良いと承諾しているものですから、医療法人の安定的運営からも決して認められないことです。

⑦ **MS 法人等関連法人があり、入札等公正な手続きを取らず、不当に高額な取引をしている等、実質的な利益配当と見なされる取引をしている。**

⑧ **その他**
→理事等に対し、職務対価としてではなく、理事であることをもっての報酬の支払いは認められていません。また理事等に対し、経済的な利益の供与は禁止されていますので、注意が必要です。

　この配当類似行為で注意しなければならないのは、③の**「医療法人が所有する資産を、理事等に無償または著しく低い価格で譲り渡している。」**であり、具体的には生命保険を解約返戻金が少ない時点で、理事等にその低い解約返戻金で譲渡し、その後保険料を支払えば解約返戻金が増えるようなスキームがこれに該当します。さらに第4章で後述しますが、第七次改正医療法により関係事業者との報告義務が課せられたことにより、さらにこのスキームが指摘されるリスクが高まっています。

　繰り返しになりますが、医療法人は「非営利性」が原則であり、この非営利性というのは利益を出してはいけないということではなく、上げた利益の剰余金を構成員に分配してはいけないということです。医療法人へアプローチする際には欠かすことができない概念ですので、必ず押さえておいて下さい。

　ちなみに聞いた話では、都道府県庁の職員が「医療法人は非営利性の原則がありますから、物販をしてはいけません」という指導をしているケースや「医療機関は非営利性の原則がありますから、物販をしてはいけません」と指導しているケースもあるそうです。これは大きな間違いで、前述の通り非営利性は剰余金の配当をしないことですので、療養の向上が目的である物を販売して利益を上げることは全く問題ありません。さらにこの非営利性は医療法人に求められている概念であり、個人で経営をしている医療機関については、非営利性という概念はありません。あくまでも個人は自然人であり、上げた利益から所得税を納税した後の剰余金と個人資産との区別はできませんから…。

■参考～特別利益供与となる行為

　次のいずれかの行為をしたと認められ、その行為が社会通念上不相当と認められる場合には、特別の利益を与えているものと判断する。

（イ）医療法人の所有する財産をこれらの者に居住、担保その他の私事に利用させること
（ロ）医療法人の余裕金をこれらの者の行う事業に運用していること。
（ハ）医療法人の他の従業員に比し有利な条件で、これらの者に金銭の貸付をすること
（ニ）医療法人の所有する財産をこれらの者に無償又は著しく低い価額の対価で譲渡すること
（ホ）これらの者から金銭その他の財産を過大な利息又は賃貸料で借り受けること
（ヘ）これらの者からその所有する財産を過大な対価で譲り受けること、又はこれらの者から医療法人の事業目的の用に供するとは認められない財産を取得すること
（ト）これらの者に対して、医療法人の役員等の地位にあることのみに基づき給与等を支払い、又は医療法人の他の従業員に比し過大な給与等を支払うこと
（チ）これらの者の債務に関して、保証、弁済、免除又は引受け（医療法人の設立のための財産の提供に伴う債務の引受けを除く）をすること
（リ）契約金額が少額なものを除き、入札等公正な方法によらないで、これらの者が行う物品の販売、工事請負、役務提供、物品の賃貸その他の事業に係る契約の相手方となること
（ヌ）事業の遂行により供与する利益を主として、又は不公正な方法で、これらの者に与えること

　※これらの者…社員、理事、監事、使用人その他の当該医療法人の関係者

（厚生労働省「持分の定めのない医療法人への移行認定制度の概要」より）

●医療法人のメリットとデメリット

　ここまでは医療法人へアプローチをする上で、必要と思われる医療法人運営に関する基礎知識を列記しました。これを踏まえた上で、医療法人のメリットとデメリットを整理したいと思います。

＜医療法人化のメリット＞
　医療法人化することの主なメリットは下図の通りです。

項目	内容
医業経営の安定化	税引後利益を増やすことができるために、医業経営の安定化と拡大化が図れる。
相続・事業承継の円滑化	持分なし医療法人であれば、医業用資産の法人保有化により相続税課税の対象額を引下げることができる。
附帯事業	有料老人ホームや高齢者専用賃貸住宅の設置・特定労働者派遣事業の運営など、各種事業が行える。
税の軽減	診療報酬部分については事業税が非課税となり、実効税率が約 30%（800 万円超の所得）と、所得税率と比較をして税負担額を軽減することができる。
社会保険診療報酬の源泉徴収がなくなる	個人開業時には、社会保険診療報酬の約 10%が源泉徴収されるが、医療法人ではこれがなくなるために資金繰りが楽になる
役員退職金の支給ができる	退職時の役員退職金支給だけでなく、弔慰金支払いも可能となり、相続発生時のメリットも享受できる。
保険料の損金算入可	一般法人と同じく、一定のルールに則った形で支払保険料を損金計上することができる。
繰越欠損金の計上	個人は 3 年。法人は 10 年

　医療法人化のメリットとして強調されているのが「税の軽減」と「相続・医業承継の円滑化」です。個人事業としての所得税・住民税負担と法人税の負担では税率格差が大きいので、税負担を減らすという意味では医療法人化のメリットはあります。あと「相続・医業承継の円滑化」は出資持分がある医療法人の場合は出資持分に対する財産評価と税対策の問題はありますが、出資持分がない医療法人であれば、社員と理事長の交代だけで医業承継ができる点はメリットと言えます。あとは附帯事業の展開や分院を出すことができる点も医療法人化のメリットと言えるでしょう。

＜医療法人化のデメリット＞

次に医療法人化することのデメリットですが、下図をご覧下さい。

項目	内容
理事長個人の可処分所得減少	法人と個人の２つの財布ができるが法人の資金は自由に使えないために可処分所得が減少する可能性大
医療法人の資産の私的処分不可	逆養老・名義変更スキームは配当類似行為として不可
厚生年金の強制加入	従業員数にかかわらず厚生年金の加入は必須
医療法人解散時の残余財産は国等に帰属する	出資持分から財産の概念がなくなったために、医療法人を解散した際の残余財産は、国や地方自治体等に帰属する
小規模企業共済の加入不可	医療法人では加入ができないために、医療法人成時に解約をする必要がある
交際費の損金不算入	法人の交際費算入条件が適用される
法人での投資・業務に制限	余剰資金の投資運用や関連業務などの展開に対して制限あり
決算情報等の公開	都道府県への決算書類・事業報告書等の書類が閲覧により公開される
各種事務が煩雑	定期的に社員総会を開催し、その議事録を作成・決算終了後に決算の届出及び、総資産の変更登記、変更登記にかかる官庁への届出等が発生

　医療法人化の最大のデメリットは、理事長個人の可処分所得が減少するということです。個人開業の場合には、医業収益から費用を引いた差額が所得となり、所得税と住民税の負担をした残り分は自由に使える個人財産となります。ですが、医療法人の場合は、医業収益から費用を引いた差額に対して法人税が課税され、残り分は医療法人の資金となるためにこれは自由に使うことができません。医療法人化による可処分所得減少のイメージは下図をご覧下さい。

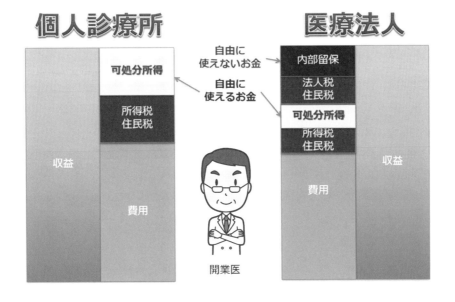

この図の通り、医療法人の内部留保は自由に使えないお金として残り、理事長が引退する際の退職金として引き出すまでは、自由に使えません。そのために医療法人化のメリットとされている税負担を軽減することだけを目的にして医療法人化すると、ご子息の教育資金が捻出できないという事態になり、理事長報酬を引き上げると所得税・住民税の課税負担が増えるため、結局何のために医療法人化したのか分からなくなるというケースも多く見受けられます。これについては、医療法人化を勧めるのが税金を計算している顧問会計事務所であることが多く、会計事務所にとって医療法人化の業務を受注することが大きな収益源となっているという事実は見逃せません。そのために本来であれば医療法人化する必要がそれほどない開業医に対しても医療法人化をさせてきた実態があります。

　次に医療法人は、事業年度終了後に都道府県に対して事業報告書の提出が義務付けられており、この事業報告書は誰でも閲覧ができます。ということは、自分の医療機関の財務情報が公表されるということですから、見せたくない情報が開示されるというデメリットがあります。あとはこの事業報告書の提出や、総資産の登記変更など細々とした事務が発生するために、その都度、手間と費用が発生する点もデメリットと言えるでしょう。

●医療法人のまとめ

　本章で見てきましたように、医療法人の運営についてはかなり詳細にルールが決められています。さらに詳細は次章で解説しますが、第七次改正医療法により医療法人運営はさらに厳格な運営をするように決められました。さらに、2019年（令和元年）6月28日に出された法人税基本通達の改正により、生命保険を使った課税繰延効果が出せない状況となったのを考えますと、目先の税負担軽減を目的とした医療法人化が果たして本当に良いのか？と冷静な目で検討する必要があります。

　ただし「分院を出す」「附帯事業を行う」「後継者が後を継ぐことが決まっている」などのケースにおいては、医療法人化は行うべきであると考えます。ですから、極論を言えば分院を出す・附帯事業を行う・後継者が後を継ぐことが決まった時点で医療法人化を考えても遅くはないでしょう。

　顧客である開業医から医療法人化へのアドバイスを求められた際に、キチンとメリットとデメリットを伝え、開業医のライフプランニングや医業経営を長期的な視野に立って考えて中立的な立場でアドバイスができるようになりたいものです。

コラム

院長夫人の「クリニック経営は今日も大変!!」

「潜在的に会計事務所への不満は大きい
中身のないコンサル契約」

［奥田］

永野整形外科クリニックさんで実践されている「クリニック経営を数字で科学する」という内容についてお伺いをさせて頂きます。会計事務所との付き合い方についてですが、会計情報を集計したデータのフィードバックは会計事務所から毎月あるのですか？

［永野］

そうですね。毎月 20 日前後に担当者が来て説明をしてくれていますね。毎月の数字は早く知りたいじゃないですか？ 何か変なことになっていたら早く対応しないといけないので…。会計事務所とは別に月次の報告をまとめてくれているスタッフがいます。このスタッフがクラウドにデータを上げて、それを会計事務所の担当者が見て処理をしている流れですね。クラウドに上げる前は会計事務所の担当者が来る日が憂鬱だったんです。「あの資料出せ」とか「この数字の根拠は？」とかいろいろ聞かれて、そのたびに書類を探したり書類を広げたりするのが嫌で、会計事務所が来ると書類が散乱するのが嫌なのでデータをすべてPDFにしてクラウドに上げて「そこを見て確認して」ということにしたんです。

［奥田］

会計事務所の対応は院長と永野さんのどちらがされているのですか？

［永野］

基本的には私ですね。私がいろいろな話をしたあとに診療が終わる時間帯にクリニックへ寄って院長へいろいろな報告を行っていますね。

［奥田］

なるほど、これだけ自院で経営数値を分析されているクリニックや院長夫人は少ないと思いますね。

［永野］

昔からそうでしたね。ソーシャルワーカーとして病院で勤務していた時から相談内容や件数のデータをとって報告をしていましたからね。

［奥田］
　もともとそういうデータを集めて分析したりすることが苦にならないんでしょうね?

［永野］
　そうですね。それよりも興味がありますね。誰が何人来ているのか? なぜうちのクリニックに来てくれたのか?に興味があります。保険営業の方もそうでしょ? 「なぜ自分で契約してくれたのか?」って興味ありますよね?

［奥田］
　おっしゃる通りです。

［永野］
　周りの奥さんでここまでやっている人は確かに少ないかもしれませんね。あとはこういう数値分析は税理士さんにお願いしているということもあるかもしれませんね。でも税理士さんで患者さんの層を把握している方は少ないんじゃないですかね?

［奥田］
　そうですよ。レセコン叩いてデータを分析してアドバイスをしている会計事務所はかなり少ないですよ。

［永野］
　なぜしないんでしょうね? 税務顧問料とは別にコンサルティング料を請求している会計事務所も多いのに…。

［奥田］
　医業経営に特化している会計事務所ならやっているところもありますが、ここまでのレベルでしている事務所はかなり少ないですね。さらに言えばそもそも医業を知らないという会計事務所がほとんどですからね。

［永野］
　一般的なケースとして、○○会計事務所と○○コンサルティング株式会社というふうに契約書を2枚書かされるケースがあるじゃないですか? でも本来であればその契約の時に、どこまでが業務範囲なのかをしっかりと確認すべきなんですよね? 「○○コンサルティング株式会社の契約は人事労務の相談とかもしても良いのですか」とかね。特に新規開業のときとかは無料で採用面接に立ち会ってくれたりするんですけど、それが開業後に年数がたつと立ち会ってくれなくなったり、よくわかっていない(税理士)資格を持っていない若手のスタッフが来たりしますよね。若手スタッフでいい人が来てくれるケースもありますが、たいていは若手スタッフになるとサービスクオリティは落ちますよね。

［奥田］
　そうですね。元会計事務所職員としては耳が痛い話です(苦笑)。

[永野]

　それだったら初めから若手スタッフも同席させるとかして、立ち上げのころからの苦楽を共有できるようにしてほしいですよね。軌道にのったからといって担当者が変わるのは、こちら側としてはいい感情はないですね。若手スタッフに「一般的に理学療法士の平均給与はこれくらいですからちょっと高いですよ」と言われても、「じゃあその平均給与は勤続年数のデータなの?」って聞いても答えられないんですよね。そういった当たり障りのないことを言われてもこちらは嬉しくもないし響かないですね。専門家に対しては誰に対してもそうですが、「あーそうですか。それは知りませんでした」と言わせるような情報提供に期待しますよね。

[奥田]

　それはおっしゃる通りだと思います。

経営への前向きな話を希望

[永野]

　今時、ネットで検索したら見つけられるレベルの情報提供なんて全く価値がないですからね(笑)。まぁこんなことを言う院長の奥さんはいないでしょうけど(笑)。

[奥田]

　でも潜在的に会計事務所への不満は多いと思いますよ。会計事務所に対して院長夫人として期待されることはありますか? 税金を間違えずに計算するとか節税提案があるというのは前提条件ですが…。

[永野]

　期待することは経営的な取組みに対して行動できるようにモチベートしてくれることですね。例えば経費を削減するとか、増患に取組むとか昇給を考えるといったお金に関する内容に対して、「よし、頑張ろう!」と動機付けしてくれると嬉しいですね。あと質問に対してきっちりと回答してほしいですね。私見でもいいので自分の意見を言ってほしいですね。

[奥田]

　なるほど。

[永野]

　そりゃプロに頼んでいるのですから、ハッとさせられるような意見とか情報をほしいですね。一般的なことなんていらないんです。「節税のために医療法人にしましょう。つきましては顧問料を上げて下さい」なんて言われたら「なんでやねん」ってツッコミたくなりますよ(笑)。

[奥田]

　会計事務所の節税提案で医療法人にするというのは本当に多いですよね。確かに目先の所得税は減りますが、自由に使えるお金も減りますから医療法人が必ずしも正しい選択ではないのですけどね…まぁ医療法人成りをすると顧問料も上げられますし、個人の確定申告料

も別途もらえますから会計事務所からすれば増収できますしね（笑）

[永野]
　本当は数字やお金に関する仕事をしたくないと思ったからソーシャルワーカーになったのに、今ではどっぷり浸かってますよ。なぜなんでしょうね？

[奥田]
　それは経営者になられたからじゃないですか？　院長先生が事業主でトップではありますが、永野さんと夫婦二人三脚でクリニック経営をされているので、感覚が経営者になってこられたのだと思いますよ。

[永野]
　今でも細かいことは嫌いですから、経理の帳簿をつけるのはスタッフに任せていますね（笑）。でも正確にキチンと仕事をしてくれるスタッフが来てくれているので本当に助かっていますね。彼女は口も硬いですから信頼していろんなことを任せていますね。経理は任せて、クリニックの企画・広報をやっている感覚ですね。会計事務所には「幾らのお金を置いておけば税金が払えるのか？」だけ教えてもらって、それを確実に置いておきさえすれば税金が払えるので、それ以外で税金や経理の話はしたくないですね（笑）。もっと前向きな経営について話をしたいというのが本音ですね。こんな院長の奥さんはいないのかもしれませんが（笑）。

///

第4章

第七次医療法改正と

　　　　　認定医療法人制度

問われる経営の透明性、ガバナンス強化も

Check Point！・関係事業者との取引で年間 1,000 万円以上かつ総収益・総費用
の 10% を超えるもの等は事業報告書の提出が必要に。

・例えば特別損失が発生してもそれが 1 関係事業者との取引につ
いて 1,000 万円以下なら提出しなくてもよい。
・多くの医療法人では同族関係者が社員・理事を構成しており社員
から理事への提訴は考えにくいが、遺産分割協議等で揉めたり夫
婦間や親子間の絆に亀裂が入ると訴えられるリスクが発生。
・出資持分のある医療法人の理事長にとって、出資持分に対する相
続税・贈与税負担は大きく、「認定医療法人制度」に興味を持って
いる人が多いので理解しておく。

　前章では保険営業パーソンとして知っておくべき医療法人制度について解説を行いました。
本章では 2016 年 9 月より施行されている「改正医療法」と、2017 年 10 月より改正された
「持分の定めのない医療法人への移行に関する計画の認定制度」について解説を行います。両
方とも最新の情報として知っておくべき制度です。

●第七次医療法改正

　医療法は 1948 年（昭和 25 年）に制定されてから、1985 年（昭和 60 年）に第一次改正、
1992 年（平成 4 年）に第二次改正、1997 年に第三次改正、2000 年に第四次改正、2006 年
に第五次改正、2014 年に第六次改正と行われてきました。1948 年に制定されてから、1 回目
の改正は 35 年も経過してからようやく改正されたのに対して、それ以後は 2016 年の第七次改
正までは 24 年間の間に 6 回も改正されています。

　この第七次改正のテーマは「地域医療連携推進法人制度の設立」と「医療法人制度の見直し」
の 2 つです。「地域医療連携推進法人制度の設立」については本書では割愛します。ご興味のあ
る方は厚生労働省の「医療法人・医業経営のホームページ」にてご確認下さい。本書では「医療
法人制度の見直し」について、診療所を経営する医療法人に影響のあるところを重点的に解説
します。

2.医療法人制度の見直し
（1）医療法人の経営の透明性の確保及びガバナンスの強化に関する事項

○　事業活動の規模その他の事情を勘案して定める基準に該当する医療法人（負債 50 億円以上又は収益 70 億円以上の医療法人・負債 20 億円以上又は収益 10 億円以上の社会医療法人）は、厚生労働省令で定める医療法人会計基準に従い、貸借対照表及び損益計算書を作成し、公認会計士等による監査、公告を実施。（施行日：平成 29 年 4 月 2 日）

○　医療法人は、その役員と特殊の関係がある事業者（医療法人の役員・近親者や、それらが支配する法人）との取引（当該事業収益又は事業費用が 1,000 万円以上であり、かつ総事業収益又は総事業費の 10％以上を占める取引等）の状況に関する報告書を作成し、都道府県知事に届出。（施行日：平成 29 年 4 月 2 日）

○　医療法人に対する、理事の忠実義務、任務懈怠時の損害賠償責任等を規定。理事会の設置、社員総会の決議による役員の選任等に関する所要の規定を整備。（施行日：平成 28 年 9 月 1 日）

（2）医療法人の分割等に関する事項（施行日：平成 28 年 9 月 1 日）

医療法人（社会医療法人、特定医療法人、持分あり医療法人等を除く。）が、都道府県知事の認可を受けて実施する分割に関する規定を整備。

（3）社会医療法人の認定等に関する事項（施行日：平成 28 年 9 月 1 日）

○　二以上の都道府県において病院及び診療所を開設している場合であって、医療の提供が一体的に行われていて、厚生労働省令で定める基準（隣接市町村にある、両県の医療計画に県境域の記載がある等）に適合するものについては、全ての都道府県知事ではなく、当該病院の所在地の都道府県知事だけで認定可能。

○　社会医療法人の認定を取り消された医療法人であって一定の要件（同族性を排除している、医療計画に記載がある等）に該当するものは、救急医療等確保事業に係る業務の継続的な実施に関する計画を作成し、都道府県知事の認定を受けたときは収益業務を継続して実施可能。

※厚生労働省 2017 年 1 月 16 日更新「医療法の一部を改正する法律について」より抜粋

　大きく影響するのは「（1）医療法人の経営の透明性の確保及びガバナンスの強化に関する事項」です。

●関係事業者との取引報告

　まず経営の透明性の確保として、関係事業者との取引について都道府県知事へ提出する事業報告書への記載が義務付けられました。これについては「医療法人の計算に関する事項について」（医政発０４２０第７号平成２８年４月２０日）という通達にて詳細な規定がされています。これについては重要な通達ですので、該当部分をすべて抜き出します。

１　関係事業者について（法第 51 条第 1 項関係）
法第 51 条第 1 項に定める関係事業者とは、当該医療法人と(2)に掲げる取引を行う場合における(1)に掲げる者をいうこと。
(1) (2)に掲げる取引を行う者
① 当該医療法人の役員又はその近親者（配偶者又は二親等内の親族）

② 当該医療法人の役員又はその近親者が代表者である法人

③ 当該医療法人の役員又はその近親者が株主総会、社員総会、評議員会、取締役会、理事会
の議決権の過半数を占めている法人

④ 他の法人の役員が当該医療法人の社員総会、評議員会、理事会の議決権の過半数を占めて
いる場合の他の法人

⑤ ③の法人の役員が他の法人（当該医療法人を除く。）の株主総会、社員総会、評議員会、
取締役会、理事会の議決権の過半数を占めている場合の他の法人

(2) 当該医療法人と行う取引

① 事業収益又は事業費用の額が、1千万円以上であり、かつ当該医療法人の当該会計年度に
おける事業収益の総額（本来業務事業収益、附帯業務事業収益及び収益業務事業収益の総
額）又は事業費用の総額（本来業務事業費用、附帯業務事業費用及び収益業務事業費用の
総額）の 10 パーセント以上を占める取引

② 事業外収益又は事業外費用の額が、1千万以上であり、かつ当該医療法人の当該会計年度
における事業外収益又は事業外費用の総額の 10 パーセント以上を占める取引

③ 特別利益又は特別損失の額が、1千万円以上である取引

④ 資産又は負債の総額が、当該医療法人の当該会計年度の末日における総資産の1パーセン
ト以上を占め、かつ1千万円を超える残高になる取引

⑤ 資金貸借、有形固定資産及び有価証券の売買その他の取引の総額が、1千万円以上であり、
かつ当該医療法人の当該会計年度の末日における総資産の1パーセント以上を占める取引

⑥ 事業の譲受又は譲渡の場合、資産又は負債の総額のいずれか大きい額が、1千万円以上で
あり、かつ当該医療法人の当該会計年度の末日における総資産の1パーセント以上を占め
る取引

2 関係事業者との取引に関する報告について
(1) 報告内容について
関係事業者との取引に関する報告については、次に掲げる事項を関係事業者ごとに記載しな
ければならない。

① 当該関係事業者が法人の場合には、その名称、所在地、直近の会計期末における総資産額
及び事業の内容

② 当該関係事業者が個人の場合には、その氏名及び職業

③ 当該医療法人と関係事業者との関係

④ 取引の内容

⑤ 取引の種類別の取引金額

⑥ 取引条件及び取引条件の決定方針

⑦ 取引により発生した債権債務に係る主な科目別の期末残高

⑧ 取引条件の変更があった場合には、その旨、変更の内容及び当該変更が計算書類に与えて
いる影響の内容

ただし、関係事業者との間の取引のうち、次に定める取引については、報告を要しない。
イ　一般競争入札による取引並びに預金利息及び配当金の受取りその他取引の性格からみて取引条件が一般の取引と同様であることが明白な取引
ロ　役員に対する報酬、賞与及び退職慰労金の支払い

＜省略＞

（2）報告期限について
関係事業者との取引の状況に関する報告書は法第 51 条で定める事業報告書等に含まれることから、会計年度終了後 3 月以内に所管の都道府県知事に届け出ること。

　ちなみにこの通達の適用は 2017 年 4 月 2 日以後に開始する事業年度から適用されており、事業報告書のフォームは下図になります。

（1）法人である関係事業者

種類	名称	所在地	総資産額 （千円）	事業の内容	関係事業者 との関係	取引の内容	取引金額 （千円）	科目	期末残高 （千円）

（2）個人である関係事業者

種類	氏名	職業	関係事業者 との関係	取引の内容	取引金額 （千円）	科目	期末残高 （千円）

※厚生労働省 2017 年 1 月 16 日更新「医療法の一部を改正する法律について」より抜粋

　この関係事業者との取引の報告について要約しますと、

１）医療法人理事とその配偶者・二親等以内親族との取引、又はその者が代表者である法人との取引について報告をしなければならない。
２）報告をしなければならない取引は、「年間 1,000 万円以上でかつ総収益・総費用の 10%を超える取引」と、「特別利益・特別損失が 1,000 万円以上の取引」と「残高が総資産の 1%を超えて、かつ 1,000 万円以上の取引」など
３）ただし役員報酬・役員賞与・役員退職金は報告対象外

となります。我々、保険営業パーソンとして押さえておくべきは、保険を使った各種スキームが上記に該当するか否かです。特に低解約返戻金型の保険を使って、法人から個人へ契約者名義を変更するスキームでは、契約者名義変更時点の解約返戻金相当額で当該契約を評価するため、資産計上額との解約返戻金との差額が「特別損失」に該当します。この金額が 1,000 万円を超える場合には事業報告書への記載を行わなければなりません。なおこの 1,000 万円につきましては、「1 関係事業者との取引」という決まりがありますので、複数の契約者に契約者名義を変更した場合には、それぞれ 1,000 万円を超える場合が該当します。その関係図は次の図になります。

【報告義務あり】

理事長

医療法人から理事長への
契約者名義変更により
1,200万円の特別損失

【報告義務あり】

理事長　　　奥様

医療法人から理事長と奥様への
契約者名義変更により
各契約でそれぞれ
1,200万円の特別損失

【報告義務なし】

理事長　　　奥様

医療法人から理事長と奥様への
契約者名義変更により
各契約でそれぞれ
800万円の特別損失

　この例のように、1契約を1人の関係事業者へ契約者名義変更をした際に、特別損失が1,000万円を超えれていれば報告書への記載義務があります。しかし2契約を2人の関係事業者へ契約者名義変更をした際に、1契約あたり800万円の特別損失であれば、合計の特別損失額が1,000万円を超えていても事業報告書への記載義務はありません。ただし低解約返戻金型保険を個人に契約者名義変更をすることは、「配当類似行為」とされ、医療法54条違反に該当しますので、くれぐれもご留意下さい。なおこれはあくまでも医療法に関する規定であり、税法における経済的合理性とは論点が違うことは注意が必要です。

　実際に都道府県へ報告されている事業報告書を閲覧すると、某県ではこんな報告内容がありました。

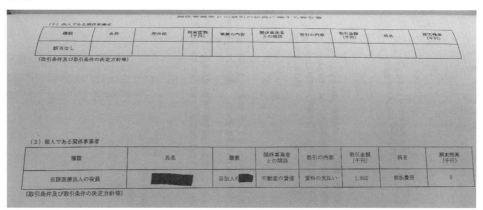

関係事業者との取引の状況に関する報告書

（1）法人である関係事業者

種類	名称	所在地	総資産額 （千円）	事業の内容	関係事業者 との関係	取引の内容	取引金額 （千円）	科目	期末残高 （千円）

（取引条件及び取引条件の決定方針等）

（2）個人である関係事業者

種類	氏名	職業	関係事業者 との関係	取引の内容	取引金額 （千円）	科目	期末残高 （千円）
役員	▇▇▇▇	医師	当法人▇▇	貸付利息	285	短期貸付金	18,931

（取引条件及び取引条件の決定方針等）

※事業報告書の撮影が許可されている某県にて、筆者が撮影

　解説した通り、事業報告書への記載義務は「費用が 1,000 万円以上でかつ総費用の 10%以上の取引」ですから、本来であれば両方とも記載義務はありません。事業報告書の記載と提出は、顧問の会計事務所が行っているケースが多く、両方の事例は誰が記載をしたか分かりませんが、記載する担当者がよくルールを理解していないために本来は不必要な報告をしている事例です。

　なお筆者の契約者で、筆者の扱いではない低解約返戻金型逓増定期保険を個人へ契約者名義変更をして、特別損失を 1,000 万円以上計上し、その顧問会計事務所がそのまま事業報告書へ記載をして県庁から「医療法違反では？」と問い合わせがあった医療法人がありますので、保険営業パーソンとしてこのリスクについては、押さえておくべきポイントです。

報告書の記載と提出は顧問の会計事務所が行っていることが多いですが、本来は不必要な報告をしているケースがあります

●医療法人のガバナンス強化

　今回の改正で医療法人の運営・統治（ガバナンス）を強化する規定に改正されました。具体的には、再掲載となりますが厚生労働省が公表している資料にて説明します。なおこのガバナンス強化は 2016 年 9 月 1 日より施行されています。

＜社員・社員総会の権限強化＞

社員・社員総会

○社員は、社団たる医療法人の最高意思決定機関である社員総会の構成員としての役割を担う。
○社員総会は、事業報告書等の承認や定款変更、理事・監事の選任・解任に係る権限があり、このことにより、法人の業務執行が適正でない場合には、理事・監事の解任権限を適切に行使し、適切な法人運営体制を確保することも社員総会の責務である。

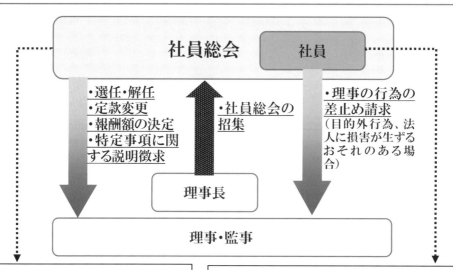

【社員総会の権限（主なもの）】
・理事・監事の選任・解任
・定款の変更
・事業報告書等の承認
・理事・監事に対する特定事項に関する説明徴求
・理事・監事の報酬額の決定（定款で額が定められていないとき）
・理事等の法人に対する損害賠償責任の一部免除
・合併・分割の同意（全社員の同意により合併・分割が可能）
・解散の決議

【社員の権限（主なもの）】
・社員総会の招集請求（総社員の 1/5 以上の社員により請求が可能）
・理事の行為の差止め請求（理事が法人の目的の範囲外の行為その他法令等に違反する行為をし、当該行為によって法人に回復できない損害が生ずるおそれのあるとき）
・理事・監事等の責任追及の訴え（法人に訴えの提起を請求し、60 日以内に法人が訴えの提起をしない場合、当該請求をした社員が提起可能）
・理事・監事の解任の訴え（不正行為又は法令・定款違反にもかかわらず、解任決議が社員総会で否決されたときは、総社員の 1/10 以上の社員により提起可能）

※厚生労働省 2017 年 1 月 16 日更新「医療法の一部を改正する法律について」より作成

　社員・社員総会は、選任した理事が適正に医療法人運営をしているかどうかチェックをして、不適切な行為により医療法人に損害を与える場合には、理事へその行為の差し止め請求をすることが可能になりました。さらに理事・監事が医療法人に損害を与えた場合に、医療法人に対してその理事・監事へ責任追及の訴えを起こすように提起が可能です。これについては、「株主代表訴訟」をイメージしてもらえれば一番分かりやすいと思います。

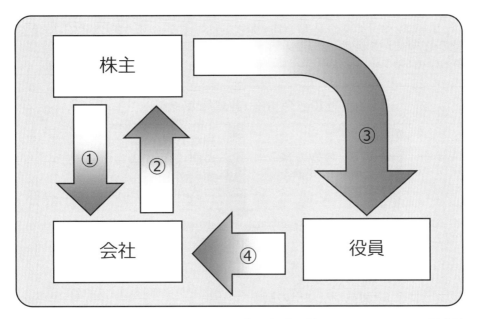

① 株主が、役員の行った行為によって会社が損害を被っているので、その損害賠償請求を行うように提起する。
② 会社が調査した結果、役員の行為に責任はないため損害賠償請求は行わない通知を株主にする。
③ 会社に代わって株主が役員に対して会社へ損害賠償をするように訴訟を起こす。
④ 訴訟の結果役員が敗訴した場合には、役員が会社に対して損害賠償金を支払う。

　「株主代表訴訟」は、上場会社や株式公開会社、第三者株主の場合には、役員が行った行為によって会社が損害を被った場合、自分が持っている株式の価値が減少するために、その損害を賠償するようにする行為であり、株主自らに直接的な損害が発生していないことと、役員の損害賠償金は株主ではなく会社に入るという2点が特徴です。株主代表訴訟については、「大和銀行事件」や最近では「オリンパス事件」「東芝事件」が有名です。この株主代表訴訟と同じ仕組みが医療法人運営の中に組み込まれました。

　多くの医療法人においては、社員＝理事であり、同族関係者が社員・理事を構成しているので、実際にはこのような社員から理事への提訴請求が行われるケースは考えにくいです。ですが、ここに理事長の相続発生による遺産分割協議のこじれや、親族間の関係悪化などの理由を発端として、このような提訴請求が行われる可能性は十分にあり得ます。特に生命保険契約を使った契約者名義変更で、医療法人に損害を与えた場合、社員がその行為の差止め請求や理事

の解任請求、損害賠償請求を行うことが可能になっていますので、くれぐれもご留意下さい。

<理事の義務と責任の明確化>

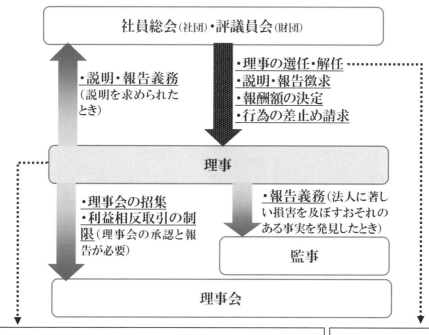

理事
○医療法人の理事は、理事会の構成員として、医療法人の業務執行の意思決定に参画する。 ○また、忠実に職務を行う義務、法人に著しい損害を及ぼすおそれがある事実を発見したときの監事への報告義務などが課せられ、義務違反等の場合には損害賠償責任を負うことがある。 ※理事会の決議に参加した理事は、議事録に異議をとどめない場合、その決議に賛成したものと推定される。

社員総会(社団)・評議員会(財団)

・説明・報告義務(説明を求められたとき)

・理事の選任・解任
・説明・報告徴求
・報酬額の決定
・行為の差止め請求

理事

・理事会の招集
・利益相反取引の制限(理事会の承認と報告が必要)

・報告義務(法人に著しい損害を及ぼすおそれのある事実を発見したとき)

監事

理事会

【理事の義務等(主なもの)】
・忠実義務(法令、定款又は寄附行為、社員総会又は評議員会の決議を遵守し、法人のため忠実に職務を行う義務)
・善管注意義務(民法の委任の規定に基づく善良な管理者の注意義務)
・競業及び利益相反取引の制限(自己又は第三者のために法人と取引をする場合等において理事会の承認と報告が必要)
・社員総会・評議員会における説明・報告義務(社員又は評議員から説明又は報告を求められたとき)
・監事に対する報告義務(法人に著しい損害を及ぼすおそれのある事実を発見したとき)
【理事の責任(主なもの)】
・法人に対する損害賠償責任(任務を怠ったことにより生じた損害を賠償する責任)
・第三者に対する損害賠償責任(職務につき悪意・重大な過失があった場合に第三者に生じた損害を賠償する責任)

【理事の解任】
社団の場合:いつでも、社員総会の決議により解任が可

財団の場合:次のいずれかに該当するときは、評議員会の決議によって解任が可
①職務上の義務に違反し、又は職務を怠ったとき②心身の故障のため、職務の執行に支障があり、又はこれに堪えないとき

※厚生労働省 2017 年 1 月 16 日更新「医療法の一部を改正する法律について」より作成

　医療法人の理事に対しては、「忠実義務」と「善管注意義務」「競業及び利益相反取引の制限」「社員総会・評議員会における説明・報告義務」「監事に対する報告義務」の各種義務が課せられ、同時に責任も明示されました。簡単に言えば、上場会社役員と同等の義務と責任が課せられたといえます。もちろん、非上場の役員も同等の責任はありますが、株主がオーナー経営者であったり訴えを起こさない同族関係者である場合には、これらの義務と責任が追及される可能性はほぼありません。ですが、医療法人の場合、たとえ社員や理事が同族関係者であっても、前述の通り、遺産分割協議で揉めたり、夫婦間や親子間の絆に亀裂が入ると、一転して訴えられるリスクが発生します。

<監事の義務と責任の明確化>

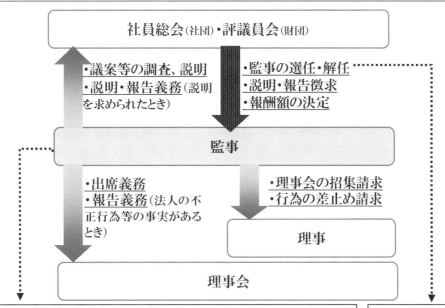

※厚生労働省 2017 年 1 月 16 日更新「医療法の一部を改正する法律について」より作成

理事と同様に監事の義務と責任、そして権限も明確化されました。監事については、なかなか適任者がいないために、理事長や理事の親族が就任していたり、顧問税理士や顧問弁護士が就任しているケースが多く見受けられます。ですが、今回の改正により監事の権限や義務が明確化されましたので、本当に医療法人の運営を監査できない人が就任するのは不適切であり、さらに適切な監査や義務違反の場合には監事も責任追及される可能性があります。

　これらのことを踏まえますと、本当に医療法人の運営へ携わっている人だけが理事・監事・社員に就任すべきですし、不用意に外部の人間を理事・監事・社員へ就任させると、損害賠償請求や乗っ取りリスクを高めるだけです。実際に数多くの「一人医師医療法人」へ訪問して、理事・監事・社員構成を見てきましたが、不要なリスクを抱えてしまっている構成になっているケースが散見されますので、こういう医療法人を見かけたときには注意喚起をしてあげて下さい。

損害賠償請求や乗っ取り
リスクに十分ご注意下さい

●認定医療法人制度

　一般的に「認定医療法人制度」と言われている制度の正式名称は「持分の定めのない医療法人への移行に関する計画の認定制度」です。あまりにも長いので本書では「認定医療法人制度」または本制度を利用する医療法人を「認定医療法人」という表現で統一します。この制度については2014年10月より行われている制度ですが、2017年10月に制度改定がされました。まずはこの制度の背景から解説します。

＜本制度の背景＞
　すでに解説をしてきましたように、2007年の第五次改正医療法にて、出資持分のある医療法人は医療法人運営の「非営利性の徹底」のために新設ができなくなり、2007年4月1日以後に設立申請をする医療法人はすべて出資持分のない医療法人に限られています。ですが、2019年3月末時点でも出資持分のある医療法人（経過措置型医療法人）は、39,263件も残っています。出資持分のある医療法人の多くは、出資持分の財産評価が高くなっており、出資持分を持っている人が死亡して相続が発生した際に、相続税支払のために出資持分の払戻請求を行うと、医療機関経営の継続が困難になるケースがあるために、医療機関経営の安定化のために、出資持分を放棄して出資持分のない医療法人へ移行する際に相続税・贈与税の猶予・免除をする制度です。

　なお出資持分を放棄して出資持分のない医療法人へ移行すると、通常では相続税法66条4項の規定を適用して、法人を個人とみなして贈与税課税がされます。これは出資持分を持ってい

る人が有している「残余財産分配請求権」と退社時に行使できる「払戻請求権」の 2 つの権利が無くなることに対して、経済的利益の供与があったとみなされるためです。ただしこの贈与税課税については、一定の要件を満たせば、贈与税が課税されない規定となっております。これについて、少し長くなりますが細かく解説します。

■相続税施行令 33 条 3 項
贈与又は遺贈により財産を取得した法第六十五条第一項に規定する持分の定めのない法人が、次に掲げる要件の全てを満たすとき（省略）は、法第六十六条第四項の相続税又は贈与税の負担が不当に減少する結果となると認められないものとする。
一　その運営組織が適正であるとともに、その寄附行為、定款又は規則において、その役員等のうち親族関係を有する者及びこれらと次に掲げる特殊の関係がある者（次号において「親族等」という。）の数がそれぞれの役員等の数のうちに占める割合は、いずれも三分の一以下とする旨の定めがあること。
　　イ　当該親族関係を有する役員等と婚姻の届出をしていないが事実上婚姻関係と同様の事情にある者
　　ロ　当該親族関係を有する役員等の使用人及び使用人以外の者で当該役員等から受ける金銭その他の財産によつて生計を維持しているもの
　　ハ　イ又はロに掲げる者の親族でこれらの者と生計を一にしているもの
　　ニ　当該親族関係を有する役員等及びイからハまでに掲げる者のほか、次に掲げる法人の法人税法第二条第十五号（定義）に規定する役員（（1）及び次条第三項第六号において「会社役員」という。）又は使用人である者
　　（1）当該親族関係を有する役員等が会社役員となつている他の法人
　　（2）当該親族関係を有する役員等及びイからハまでに掲げる者並びにこれらの者と法人税法第二条第十号に規定する政令で定める特殊の関係のある法人を判定の基礎にした場合に同号に規定する同族会社に該当する他の法人
二　当該法人に財産の贈与若しくは遺贈をした者、当該法人の設立者、社員若しくは役員等又はこれらの者の親族等（省略）に対し、施設の利用、余裕金の運用、解散した場合における財産の帰属、金銭の貸付け、資産の譲渡、給与の支給、役員等の選任その他財産の運用及び事業の運営に関して特別の利益を与えないこと。
三　その寄附行為、定款又は規則において、当該法人が解散した場合にその残余財産が国若しくは地方公共団体又は公益社団法人若しくは公益財団法人その他の公益を目的とする事業を行う法人（持分の定めのないものに限る。）に帰属する旨の定めがあること。
四　当該法人につき法令に違反する事実、その帳簿書類に取引の全部又は一部を隠蔽し、又は仮装して記録又は記載をしている事実その他公益に反する事実がないこと。

　この相続税法施行令 33 条 3 項では、出資持分を持っている人が出資持分を放棄した場合に、医療法人が不当に相続税・贈与税の負担が減少していないと認められるための要件を掲げています。ここでは、
①運営組織が適正であること
②役員のうち親族関係者が 1/3 以下であること

③医療法人が解散した時に残余財産については、国又は地方公共団体等に帰属する旨を定款又は寄付行為で定めていること
④医療法違反等の法令違反や公益に反する事実がないこと
の４つの要件を定めています。さらに①運営組織が適正であることについては、さらに細かく国税庁個別通達において定められています。

■国税庁個別通達　第2　持分の定めのない法人に対する贈与税の取扱い
（その運営組織が適正であるかどうかの判定）
15　法施行令第33条第3項第1号に規定する「その運営組織が適正である」かどうかの判定は、財産の贈与等を受けた法人について、次に掲げる事実が認められるかどうかにより行うものとして取り扱う。
（中略）
(3)　贈与等を受けた法人が行う事業が、原則として、その事業の内容に応じ、その事業を行う地域又は分野において社会的存在として認識される程度の規模を有していること。この場合において、例えば、次のイからヌまでに掲げる事業がその法人の主たる目的として営まれているときは、当該事業は、社会的存在として認識される程度の規模を有しているものとして取り扱う。
（中略）
　ヌ　医療法（昭和23年法律第205号）第1条の2第2項に規定する医療提供施設を設置運営する事業を営む法人で、その事業が次の(イ)及び(ロ)の要件又は(ハ)の要件を満たすもの
　(イ)　医療法施行規則（昭和23年厚生省令第50号）第30条の35の3第1項第1号ニ及び第2号((社会医療法人の認定要件))に定める要件
　(ロ)　その開設する医療提供施設のうち1以上のものが、その所在地の都道府県が定める医療法第30条の4第1項に規定する医療計画において同条第2項第2号に規定する医療連携体制に係る医療提供施設として記載及び公示されていること。
　(ハ)　その法人が租税特別措置法施行令第39条の25第1項第1号((法人税率の特例の適用を受ける医療法人の要件等))に規定する厚生労働大臣が財務大臣と協議して定める基準を満たすもの

　この個別通達で定めている医療法人における「運営組織が適正である」要件は、
①　社会保険診療・健診・助産等に係る収入金額が全収入金額の80%超であること
②　自費患者に対する請求金額が社会保険診療報酬と同一基準であること
③　医業収入が医業費用の150%以内であること
④　病院、診療所の名称が医療連携体制を担うものとして医療計画に記載されていること。または一定の病床数以上かつ差額ベッドの割合が30%以下であること
が条件となっています。さらには前述の親族理事が1/3以下であることを合わせて考えますと、無床診療所のいわゆる一人医師医療法人において、この要件をクリアーすることは相当ハードルが高く、そのために出資持分を放棄して出資持分のない医療法人への移行が全く進んでいなかった事実があります。

　一方で厚生労働省は、医療法人の非営利性を徹底させたい意向から、2007年の第五次改正医療法では出資持分がある医療法人を作れなくし、さらに経過措置型医療法人についても出資持分のない医療法人への移行を促進させたい思惑がありました。そこで 2014 年に出資持分のない医療法人への移行計画を出して出資持分のない医療法人へ移行した場合には、相続税・贈与税を免除する制度を創設しました。その概略図が下の図です。

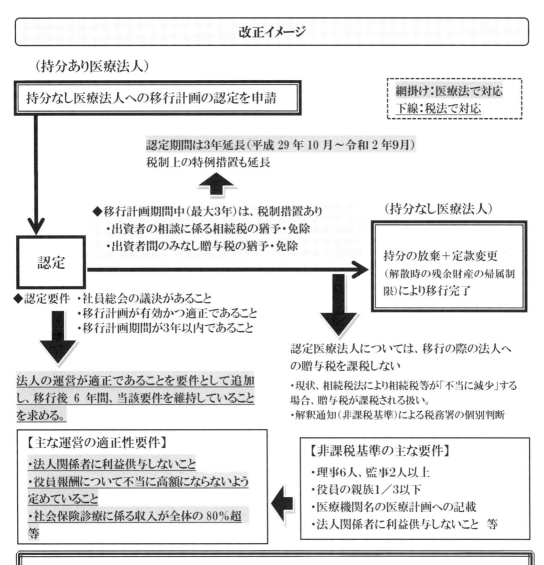

※厚生労働省 2017 年 1 月 16 日更新「持分なし医療法人への移行計画の認定制度について」
をもとに作成

2014 年の制度では、出資持分を持っている人に相続が発生し、その出資持分評価が高額になっている場合については、出資持分のない医療法人への移行計画の認定を厚生労働大臣へ申請し、認められれば移行計画期間中の 3 年間は出資持分に対する相続税と、他の出資持分を持っている人に対する贈与税が猶予されて、移行計画通りに出資持分の放棄が完了すれば相続税と贈与税が免除されるという制度でした。

　結論から言えばこの制度は大きな欠陥が 2 つあり、まず医療法人の運営体制として理事 6 名・監事 2 名の体制にして、役員の親族要件は 1/3 以下であることが設けられている点と、仮にこの認定を受けても、出資持分を放棄した際に、医療法人を個人とみなして課税される贈与税は免除されない点でした。この 2 つの理由からこの制度はほぼ使われなかったと言っても過言ではありません。ちなみに厚生労働省の資料によりますと、約 4 万件ある経過措置型医療法人において 2014 年 10 月から 2017 年 9 月までの 3 年間で移行制度が認定された医療法人は 100 件に満たないと報告されていました。この制度はあまりにも使い勝手が悪いために、2017 年 10 月に内容を大幅にリニューアルした「持分の定めのない医療法人への移行認定制度」が始まりました。

　大きな改正点は非課税要件の変更で、理事数や親族要件が撤廃された代わりに新たな要件が加わったことと、前回の制度では相続税法 66 条 4 項の贈与税課税は免除されませんでしたが、今回の制度では免除される規定が加わりました。ただし、持分なし医療法人へ移行後 6 年間は適正な運営ができているかどうかを厚生労働省へ報告する義務が課せられました。

　出資持分のある医療法人の理事長にとって、出資持分に対する相続税・贈与税負担は大きいですから、やはり今回の認定医療法人制度に興味を持っている人が多く、この制度を知っておくことは医業経営者、特に医療法人理事長との対話においては必要だと思いますので、現行の認定医療法人制度についてもう少し詳しく解説します。

＜認定に関する要件＞

	要　　　　　件
運営方法	① 法人関係者に対し、特別の利益を与えないこと
	② 役員に対する報酬等が不当に高額にならないよう支給基準を定めていること
	③ 株式会社等に対し、特別の利益を与えないこと
	④ 遊休財産額は事業にかかる費用の額を超えないこと
	⑤ 法令に違反する事実、帳簿書類の隠蔽等の事実その他公益に反する事実がないこと
事業状況	⑥ 社会保険診療等（介護、助産、予防接種含む）に係る収入金額が全収入金額の 80％を超えること
	⑦ 自費患者に対し請求する金額が、社会保険診療報酬と同一の基準によること
	⑧ 医業収入が医業費用の 150％以内であること

要件にしない	× 役員数（理事6人以上、監事2人以上）
	× 病院、診療所の名称が医療連携体制を担うものとして医療計画に記載
	× 役員等のうち親族・特殊の関係がある者は3分の1以下であること
	× 他の同一の団体関係者が理事の3分の1以下
	× 他の団体の意思決定可能な株式等を保有しない

※厚生労働省「持分の定めのない医療法人への移行認定制度の概要資料」より抜粋

① 法人関係者に対する特別利益の供与とは、「出資持分のない医療法人への円滑な移行マニュアル」に記載されているような配当類似行為を指します。詳しくは前章をご確認下さい。

② 役員に対する報酬等が不当に高額とならないような基準というのは明確にはなっていませんが、特定医療法人の理事報酬が年間3,600万円（月額300万円）に制限されているのを踏まえますと、この3,600万円という役員報酬額が一つの目安になると思われます。

③ 公益法人等への寄附は良いが、それ以外の株式会社などの法人への寄附や利益供与は行っていないこと。

④ 遊休財産については、次のイメージ図をご確認下さい。

【遊休財産額のイメージ】

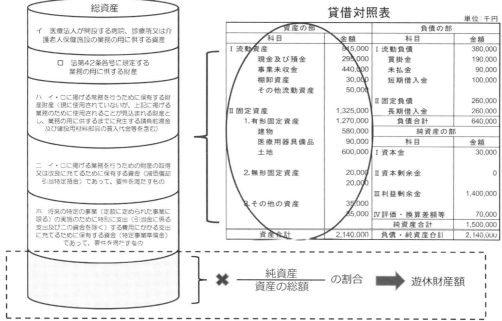

■遊休財産額の求め方

　遊休財産（具体的な使途が決まっていない内部留保された財産）の額は、貸借対照表の「資産の部」合計額を用いて計算する。

　上図に掲げるイ〜ホの金額を事業に必要な資産として遊休資産から除外する。

　控除後の残りの金額に純資産割合（純資産/総資産）を乗じて計算したものが遊休財産額。

　（この遊休財産額が本来業務の事業費用の額以下であることが認定要件の一つ）。

※厚生労働省「持分の定めのない医療法人への移行認定制度の概要資料」をもとに作成

ひと言で言えば、医業に直接関係しない財産が遊休財産となるために、保険積立金や長期前払保険料が高額になっている場合には、これに該当することに注意が必要です。

⑤　生命保険契約の契約者名義変更や養老保険を使った逆ハーフタックスプランなど、医療法54条違反と認定されるような事実も含まれます。
⑥　この通りです。
⑦　自由診療における請求金額が社会保険診療報酬の基準と同一というのは、かなりハードルが高く自由診療を行っている医療法人の多くはこの基準がクリアーできません。
⑧　これもこの通りです。

＜認定制度の手続きと流れ＞
　認定制度の手続きと流れは下図をご確認下さい。

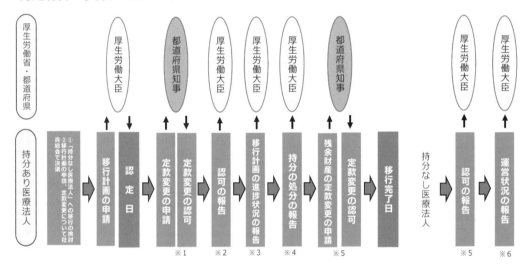

　※1　認定後、速やかに、都道府県知事に定款変更の認可申請を行う。
　※2　認可を受けた日から起算して3か月以内に厚生労働大臣に定款変更の認可を受けた報告を行う。
　　　　なお、3か月以内に定款変更の認可を受けなかった場合には、認定が取り消されることがある。
　※3　移行期限内で、かつ、移行が完了するまでの間、認定日から1年を経過するごとに、3か月以内に厚生労働大臣に移行計画の進捗状況を報告する。
　※4　移行期限内で、かつ、移行が完了するまでの間、出資者に持分の処分（放棄、払戻、譲渡、相続、贈与等）があった場合、3か月以内に厚生労働大臣に出資の状況を報告する。
　※5　移行期限までに、残余財産の帰属先に関する定款変更の認可を受け、持分の定めのない医療法人への移行完了後、3か月以内に厚生労働大臣に定款変更の認可を受けた報告を行う。
　※6　移行完了後、
　　　　①5年を経過するまでの間…1年を経過するごとに、3か月以内に厚生労働大臣に運営状況を報告する。
　　　　②5年を経過してから6年を経過するまでの間…5年10か月を経過する日までに厚生労働大臣に運営状況を報告する。
　※厚生労働省「持分の定めのない医療法人への移行認定制度の概要資料」より抜粋

　ここで一番問題になってくるのが、出資持分なし医療法人へ移行した後、運営状況の報告を以後6年間は行わないといけないという点です。この6年間の運営の中で、認定制度が取り消された場合、すでに出資持分なし医療法人へ移行していますので、旧出資持分権者に対する相

続税や贈与税の課税はありませんが、医療法人で猶予されていた贈与税が課税されることになりますので、この認定取り消しリスクについては十分注意をする必要があります。

●他制度との比較

　出資持分を放棄して持分なし医療法人へ移行する制度は、認定医療法人制度だけではありません。すでに書きました通り、贈与税の非課税要件を満たして移行する方法もあれば、社会医療法人や特定医療法人など他の医療法人制度へ移行する方法もあります。特にある程度の規模の病院になりますと、社会医療法人や特定医療法人への移行を目指すケースもあります。下図は出資持分のない医療法人への移行制度として、「社会医療法人への移行」「特定医療法人への移行」「贈与税の非課税要件のクリアー」「認定医療法人制度」の4制度を比較してみました。

	社会医療法人	特定医療法人	非課税要件	認定医療法人
社員の同族要件	1/3 以下	1/3 以下	なし	なし
役員の同族要件	1/3 以下	1/3 以下	1/3 以下	なし
役員報酬の制限	不当に高額でないこと	年 3,600 万円以下であること	その地位にあることに基づき支給しないこと	不当に高額でないこと
社会保険診療等の占める割合	全収入の 80%以上（介護保険含む）	全収入の 80%以上（介護保険含む）	全収入の 80%以上（介護保険含む）	全収入の 80%以上（介護保険含む）
自費	社会保険診療と同一基準	社会保険診療と同一基準	社会保険診療と同一基準	社会保険診療と同一基準
医業収入と医業費用の割合	医業収入が医業費用の 150%以内	医業収入が医業費用の 150%以内	医業収入が医業費用の 150%以内	医業収入が医業費用の 150%以内
社会的規模	病院または診療所の名称が5疾病及び5事業並びに居宅等における医療に係る医療連携体制を担うものとして医療計画に記載	・病院の場合は 40 床以上または救急告示病院・診療所の場合は 15 床以上及び救急告示診療所	社会医療法人または特定医療法人の要件を満たすもの	なし
遊休財産	遊休財産は事業に掛かる費用の額を超えないこと	なし	なし	遊休財産は事業に掛かる費用の額を超えないこと
特別利益の供与	法人関係者に対して特別の利益を与えないこと	法人関係者に対して特別の利益を与えないこと	法人関係者に対して特別の利益を与えないこと	法人関係者に対して特別の利益を与えないこと
解散時の残余財産帰属先	国・地方公共団体または他の社会医療法人	国・地方公共団体または他の社会医療法人	国・地方公共団体または他の社会医療法人	認定基準なし※医療法 44 条5項により左規定あり
法人税	・年 800 万円以下 19%・年 800 万円超 19%※収益事業のみ	・年 800 万円以下 15%・年 800 万円超 19%	・年 800 万円以下 15%・年 800 万円超 23.4%	・年 800 万円以下 15%・年 800 万円超 23.4%

やはり要件が一番厳しいのは社会医療法人で、その代わり税務面での優遇措置がかなりあるために、規模の大きな病院であれば、検討する価値は十分にありそうです。次に特定医療法人についてですが、社会医療法人ほどのハードルではないものの病床が必要であるために、やはり検討するのは病院が中心になりそうです。一人医師医療法人で言えば、非課税要件のクリアーか認定医療法人の検討となるのでしょうが、一人医師医療法人であれば、出資金の評価のコントロールも比較的しやすいために、そもそも両方の制度を検討して、出資持分を放棄すべきかどうか？というスタート地点の議論になりそうです。

●認定医療法人制度のまとめ

　ここまで見てきました認定医療法人制度ですが、2019年（平成31年）2月28日に開催された厚生労働省医政局の全国医政関係主管課長会議資料によりますと、新制度（平成29年10月以降の認定医療法人制度）で認定された医療法人は89件で、うち持分なし医療法人へ移行した件数は39件とのことです。2019年3月末時点の経過措置型医療法人件数が39,263法人ですから、89法人の認定で0.2%の認定率に留まっています。

○認定制度による認定件数等

認定期間	認定件数 （うち特例認定）	移行件数 （うち特例認定）
旧制度による認定：2014年10月 ～2017年9月末日	87件（19件）	55件（15件）
旧制度による認定：2017年10月 ～2019年2月5日	89件（19件）	39件（15件）
合計（特例認定の重複を除く）	157件	79件

特例認定…旧制度の認定を受けた後、再度、新制度で認定を受けること
※移行件数は2019年1月末までに報告を受けた分
2019年2月28日厚生労働省医政局全国医政関係主管課長会議資料から抜粋

　見て頂いたように、現在の経過措置型医療法人の大多数を占める一人医師医療法人では使いにくい制度であることと、無理に出資持分なし医療法人へ移行しなくても、出資持分に対する評価引下げ対策がきちんとできれば良いわけですから、この制度もこのままでは不発に終わりそうです。この制度は2020年9月末に終わる予定でしたが、ただ、2020年の税制改正大綱に3年間の延長が盛り込まれています。その後はまた新しい認定医療法人制度が創設されるのでは？と考えております。

コラム

院長夫人の「クリニック経営は今日も大変!!」

「倒れるヒマのない院長夫人　なかには一人四役こなす人も」

感染症にはまず予防が肝心、「危ないな」と思ったときはすぐ服薬

[奥田]

　いつも思うのですが、クリニック経営に携わっておられる院長の奥様は大変だと思いますね。まずはクリニックの事務長的な立場もあれば、家庭では「主婦」であり、お子様がいらっしゃると「母」という一人三役をこなしておられますからね…。

[永野]

　本当にそうですね。

[奥田]

　そう考えますと、院長の奥様は代わりを務められる人がいないので体調不良や病気で休めないですよね…。

[永野]

　う〜ん。そうですよね。私の知っている整形外科の奥様のところは、上は高校2年生から下は小学2年生までお子さんが5人いらっしゃるところがあるんですが、奥様も看護師としてクリニックで働いておられるんです。

[奥田]

　それはめちゃくちゃ大変そうですね…。

[永野]

　地方にお住まいなので、お子さんの通学に駅まで車で送り迎えもして、ご自身はクリニックでしっかり働いておられますし、新しく関連事業を始められてそこの社長にもなっておられますし、まさに「看護師」「社長」「主婦」「母」という一人四役をこなしておられるのですが、お互いに「倒れてるヒマはないよね…」って話を先日していたところです（笑）。

[奥田]

　それはそうですよ。

［永野］

　その奥さんと私の両方を知っている人からは、「お二人とも寝て下さいね」って言われますが、疲れていると勝手に寝てしまいますよ（笑）。本当に疲れた時は…。

［奥田］

　いや、本当にしっかりと寝て休んで下さい（笑）。

［永野］

　ものすごく疲れて倒れるように寝ていることもありますしね（笑）。

［奥田］

　永野さんは元々、お身体は丈夫な方なんですか？

［永野］

　いやいや、弱かったですよ。一人っ子で過保護に育てられていましたし、子供の頃は感染症に真っ先にかかって寝込んでいるタイプでしたから。

［奥田］

　そうでしたか。

［永野］

　病院で勤めるようになってからおたふくかぜを貰いましたしね（笑）。

［奥田］

　医療機関で勤務されている方というのは、そういう免疫がついてくるようになるんですか？医療従事者の方々は医療機関で感染症リスクと戦ってこられたご経験があるから強いのでしょうか？？

［永野］

　いや、そうではなくて、感染症に対する知識がしっかりとありますから、感染しないように心掛けをしっかりしているからだと思いますね。

［奥田］

　なるほど。予防をしっかりされているということですね。

［永野］

　そうですね。基本的なことですが、手洗いの頻度はすごく多いですね。たとえば最近、食中毒が増えているのはトイレにスマホを持って入るのが一因と言われていますが、そういうリスクのあることは絶対にしないですしね。

［奥田］

　そうですか。手洗いですか、手洗いとうがいは確かに感染症を防ぐには有効ですからね。

[永野]

　あと風邪気味で「これは危ないな」と思った時に薬を飲むタイミングは一般の人より早いと思いますね。

[奥田]

　あ〜、なるほど。それは医療従事者ならではの対策ですね。

[永野]

　どの症状の時にどの薬を飲むか?という選択もしっかりと対処していますので、寝込むようなことにはならないのだと思いますね。危なそうな時は、「今日はこの薬を飲んで早く寝る」とかの対応をしていますから、数日間寝込まずに済んでいるのでしょうね。

[奥田]

　なるほどですね。

[永野]

　院長も、ちょっと喉の調子が悪くて、インフルエンザだったら怖いからその時点でタミフルを飲んだりしていますね。

[奥田]

　なるほど、やっぱり人間なんで体調が悪い時もあるけど、その対処が早いから大事にならないということですね。

[永野]

　だから私がすごく体調が悪いことって見たことないでしょ?

[奥田]

　そうですね。もう3年近くお付き合いをさせて頂いてますが、永野さんが体調を崩されていた記憶はほとんどないですね…。

[永野]

　それでも私はすぐに「しんどい、しんどい」って言うので院長からは「体弱いな〜」って言われてますけどね(笑)。たまに熱が出ることはありますが、今の状況では3日間も寝込んでいられないですから、すぐに薬を飲んで対処しますね(笑)。長く休んで1日ですが、大抵は半日寝て回復させていますね。

[奥田]

　なるほど、体が強いのではなく対処法をしっかりされているということなんですね。

[永野]

　あとは予防ですね。感染症は絶対にもらわないように気をつけていますからね。ファミリーレストランとかに行っても必ず手を洗いますからね。

［奥田］
　我々の場合も体調が良くない時に薬を飲んで対処するのですが、どの症状のどのレベルの時にどの薬を飲むか？が分かっていないので、そこも間違っているのかも知れませんね…。

［永野］
　例えば風邪の症状の時に葛根湯を飲むと思うんです。

［奥田］
　はい。私も愛用してます。

［永野］
　ただ葛根湯は本当に風邪の引き始めに飲むのが一番効果的なんですが、そのタイミングを逃すと効果は薄れるんですよ。

［奥田］
　そうですね。私は葛根湯は、引き始め3時間以内くらいが一番効果的だと聞いています。

［永野］
　ですね。そういう知識があるとより体を守れますからね。あと、先ほどご紹介した5人のお子様がおられる院長の奥様は元々タフですね。
　うちの院長もそうですが、元々の体が丈夫というのもあると思いますね。先日も院長が人間ドックに行っていましたが、検査結果はどこも悪くなくて健康さとタフさを改めて実感しました。

［奥田］
　体調管理は予防と対処法が重要ということですね。非常に参考になりました！

//

こぼれ話　知っておきたい「感染対策の基礎知識」

　厚生労働省による「高齢者介護施設における感染対策マニュアル」では、感染対策の基礎知識を紹介しています。
感染症に対する対策の柱となるのは、
Ⅰ．感染源の排除、Ⅱ．感染経路の遮断、Ⅲ．宿主（ヒト）の抵抗力の向上
の３つです。
●感染源の排除
　感染症の原因となる微生物（細菌、ウイルスなど）を含んでいるものを感染源といい、
①嘔吐物・排泄物（便・尿など）、②血液・体液・分泌物（喀痰・膿みなど）、③使用した器具・器材（注射針、ガーゼなど）、④上記に触れた手指で取り扱った食品などがこれに当たり、①②③は、素手で触らず、必ず手袋を着用して取り扱います。また、手袋を脱いだ後は、手洗い、手指消毒が必要です。
●感染経路の遮断
　感染経路の遮断とは、
① 感染源（病原体）を持ち込まないこと
② 感染源（病原体）を持ち出さないこと
③ 感染源（病原体）を拡げないこと
となります。そのためには、手洗いとうがいの励行、環境の清掃が重要です。また、血液・体液・分泌物・嘔吐物・排泄物などを扱うときは、手袋を着用するとともに、これらが飛び散る可能性のある場合に備えて、マスクやエプロン・ガウンの着用についても検討しておくことが必要です。
　このマニュアルではとりわけ、手洗いや手指の消毒は、標準予防措置策（スタンダード・プリコーション）の中でも特に重要と強調しています。

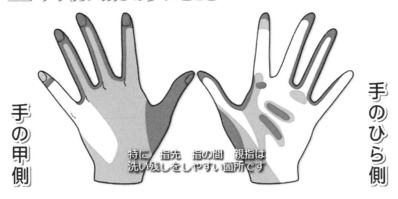

洗い残しの多いところ
やや洗い残しの多いところ
手の甲側
手のひら側
特に　指先　指の間　親指は
洗い残しをしやすい箇所です

（図は政府インターネット TV「新型インフルエンザから身を守る知っておきたい感染予防策」より）

第5章

MS法人について考える

まだまだ活用の余地があるMS法人

　本章ではいわゆるＭＳ法人（メディカルサービス法人の略）について考えます。多くの税理
士・会計事務所やコンサルタントはＭＳ法人はメリットがなくなったと考えており、全く眼中
に入っていない方が大勢おられます。確かにある側面ではメリットがなくなったと思われがち
ですが、筆者はそうは考えておらず、使い方や設立趣旨によってはまだまだ活用の余地がある
と思っています。そのためにここで詳細に解説を行います。

●MS法人とは

　そもそもＭＳ法人とはどういう法人なのでしょうか？　会社法に定められた法人ではなく、
一般的な株式会社などの法人を設立して運営する法人で、法律上認められている医療機関の関
連サービスを受託する別会社とご認識下さい。

＜ＭＳ法人の概念図＞

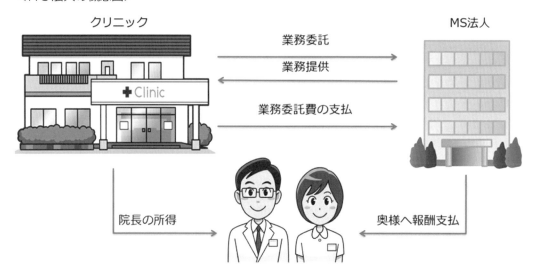

　医療機関で診療行為を行い、そこで発生する収入から院長は所得を得ます。そして関連会社であるＭＳ法人を設立し、医療機関の業務を受託して業務提供を行います。その業務委託に対して、医療機関からＭＳ法人へ業務委託費を支払います。ＭＳ法人で一定の粗利益を確保した上で、その粗利益の中からＭＳ法人の代表である奥様や院長の親族が役員報酬を得るというのがＭＳ法人のスキームです。冒頭にも書きましたがこのスキームにおいてデメリットが大きくなり、現在においてはほとんど活用されていないのが実態です。まずはこのスキームのデメリットから解説します。

●MS法人のデメリット

□　業務委託費が適正かどうかの判定

　医療機関からＭＳ法人へ支払う業務委託費が適正かどうか？という問題が最初に挙げられます。一般的によく行われているＭＳ法人への業務委託は、医療機関の窓口及び受付事務や診療報酬請求事務、経理事務などがあります。この業務委託に対する委託費についてどの程度に設定するのか？は重要な問題で、あまりにも高額な委託費の設定をすると、医療機関側で支払われる委託費の損金が否認されるリスクがあり、逆に安すぎると医療機関からＭＳ法人への所得移転が思ったほどできずに効果が得られないという問題があります。この委託費の設定は税務上、問題がない水準に設定する必要があります。

　適正な業務委託費であれば問題なく、所得分散が可能となりますが、そもそも所得分散を行ってＭＳ法人側の役員が給与所得控除等の税メリットを享受したとしても、次に挙げる消費税負担の問題があり、トータルでみればこの所得分散が適正なのかどうか？という疑問が残ります。給与所得控除を活用した所得分散であれば、医療法人化して親族を理事にして業務に見合った理事報酬を支払うことでメリットを享受することができますので、そもそも MS 法人を作る意味があるのか？という根本的な問題にたどり着くことになります。

□　消費税負担の問題

　一番大きなデメリットはこの消費税の問題です。ＭＳ法人のスキームが考案されたのは、第一次医療法改正が行われた 1985 年（昭和 60 年）以前であり、当時は医師が 3 名いないと医療法人が設立できず、医師が 1 名の診療所においては、当時は所得税率が高かったために高額な所得税負担が大きな問題となっていました。そのために関連会社を設立して、所得を分散するスキームとしてＭＳ法人が考案されたと聞いております。その後、医師 1 名で医療法人が設立できるようになっても、医療法人を設立するよりも手軽に設立できるＭＳ法人は重宝されたスキームでした。

　ただ大きな転機となったのが 1989 年（平成元年）に導入された消費税です。保険診療については現在は非課税とされています。ですが、医療機関が仕入れる薬品や物品、水道光熱費等はす

べて消費税の課税対象となりますので、医療機関は消費税を預かれないのに消費税負担をしなければならないという「損税問題」があります（※損税問題についての詳細は P.41～を参照）。医療機関からＭＳ法人に支払う業務委託費も当然ながら消費税の課税対象となりますので、医療機関側は消費税の負担が必要となります。ご存じの通り当初、消費税率は3％でしたが、当時はこの 3％を負担したとしても所得分散のメリットが大きかったので、導入当初は関係なく利用されてきました。ところがこの消費税率が 3％から 5％、そして 8％・10％へと引き上げられていくと、その分、医療機関側の消費税負担は大きくなりますので、ＭＳ法人を設立したとしても医療機関グループ全体の納税額で見ますとＭＳ法人を設立しない方が納税額が少なくなるという逆転現象が起きるようになりました。このため、ＭＳ法人はメリットがないとして税理士や会計事務所はＭＳ法人の提案は行いませんし、過去に設立したＭＳ法人を休眠させて所得移転をさせないようにしているケースが多くなってきました。

□　各種諸費用負担の問題

　ＭＳ法人を設立するのに費用が掛かりますし、実際に法人として運営していくにあたっての税負担や申告・登記変更等に係る費用など、ＭＳ法人がなければ発生しない運営費用が諸々発生します。当然ながら一般法人ですから、赤字であったとしても法人事業税と法人住民税の均等割りは資本金に応じて負担が必要となります。

□　法人としての実態の問題

　ＭＳ法人を運営する際に、いわゆるペーパーカンパニーではなくいかに実態を持たせるか？という問題もあります。ＭＳ法人の代表になられるケースが多い院長夫人が、医療機関の業務受託以外の事業意欲があるかどうか？と医療機関の窓口での物販が可能かどうか？というのもポイントになります。年間数万円程度でも医療機関からの業務受託以外で売上がつくれるか？これによって法人としていかに事業実態がつくれるかどうかが左右されます。法人としての事業実態がある程度ないと、業務受託の価格設定がクローズアップされることになりかねません。

■ＭＳ法人の問題点

業務委託費が適正かどうか	あまりにも高額な委託費の設定をすると医療機関側で支払われる委託費の損金が否認されるリスクがあり、逆に安すぎると医療機関からＭＳ法人への所得移転が思ったほどできずに効果が得られない。税務上、問題がない水準に設定する必要がある。
消費税負担	一番大きなデメリット。消費税率3％の頃はよかったが、税率が引き上げられるにつれ、その分、医療機関側の消費税負担は大きくなり、ＭＳ法人を設立したとしても医療機関グループ全体の納税額で見るとＭＳ法人を設立しない方が納税額が少なくなるという逆転現象が起きるように。
各種諸費用負担	設立費用と、当然ながらＭＳ法人がなければ発生しない運営費用が諸々発生する。
法人としての実態	年間数万円程度でも医療機関からの業務受託以外で売上がつくれるかなど、法人としての事業実態がある程度ないといけない。

●ＭＳ法人のメリット

　では次にＭＳ法人を活用するメリットを考察していきます。

□　資産保全が可能

　私が考えている一番大きなメリットはこれです。第３章の医療法人制度で詳しく解説をしましたが、医療法人の運営上、社員総会が医療法人における最高意思決定機関です。この社員総会における議決権は、社員一人につき１個と定められており、社員の構成や総会での決議内容によっては、簡単に理事長は追い出されることになります。この際、医療機関の全資産を医療法人が保有している状態であれば、社員総会議決により追い出された理事長は医療機関経営における資産をすべて奪われるリスクがあります。

　実際に筆者は、創業理事長が追い出されて、その後その理事長は消息不明となった医療法人を知っています。この医療法人では、新しい経営陣が旧経営陣をすべて入れ替えて医療法人とクリニックの名称を変更して現在も診療を続けています。

　こういうことにならないために、医療法人における社員構成や理事構成は慎重に検討する必要があるのですが、同時に不動産等でＭＳ法人が保有して医療法人へ賃貸できるものは、極力ＭＳ法人に持たせておくことで資産保全・資産防衛をすることが可能です。ＭＳ法人は前述の通り一般法人ですから、株式会社でＭＳ法人を設立しておき、その株式を理事長がすべて持っておくか、種類株式等を活用して理事長が全議決権を持っている状態にしておけば、少なくとも医療法人のようにＭＳ法人の代表を追い出されるリスクはありませんし、仮に医療法人の理事長を追い出されたとしても、ＭＳ法人が所有している医療機関において、新しい医療機関として再スタートを切ることも可能です。リスクマネジメントの一環としてのＭＳ法人活用という選択肢が私はあると思っています。

□　医業承継に活用できる

　第３章で解説をした通り、医業承継においては「出資持分なし医療法人」の活用が効果的ではありますが、第４章にて解説をしましたように、現在は医療法人経営について適正に行うように法律が強化されています。そのために数多くの制約があることと、都道府県によっては医療法人の解散がなかなか認められないというケースもあるため、一度設立をするとある程度は存続させることが前提になります。このために医療法人を使った医業承継に対して心理的ハードルが高い場合には、ＭＳ法人を使った医業承継も考えられます。

　ＭＳ法人から診療所へ賃貸ができるものについて、できるだけＭＳ法人が所有する形態にし、なおかつＭＳ法人に内部留保を蓄積していくことで、院長個人の相続税対策になるだけでなく、株式の相続・贈与で簡単に後継者へ渡すことができますので、医療法人を設立することに二の

足を踏む先生にとってはＭＳ法人を活用した医業承継も十分検討の余地はあります。

　さらに 2018 年よりスタートしている、事業承継税制の「特例納税猶予制度」を活用すれば、さらに効果が得られる可能性もありますので、「医業承継＝出資持分のない医療法人」という一択ではなく、ＭＳ法人の活用も検討してみてはどうでしょうか？

□　配当が可能

　医療法人は構成員に対する利益配分ができない「非営利法人」ですが、ＭＳ法人は一般法人ですから、事業承継に活用される「非営利型一般社団法人」でない限りは、ＭＳ法人運営において剰余金が出た場合には、株主（出資者）へ配当を行うことが可能です。生命保険を活用した「非適格現物分配」などをうまく行えば、より効果的な資産形成が可能になります。

□　資産運用が可能

　医療法人では禁止されている資産運用もＭＳ法人では可能です。開業医の多くが行っている不動産賃貸業をＭＳ法人にて行うことは個人の相続税対策においても有効な活用法になり得ます。賃貸物件を複数所有している場合、相続が発生した時には「どの物件を誰が相続するか？」が遺産分割協議において揉めるポイントになりがちですが、ＭＳ法人が一括で所有している場合には、ＭＳ法人の株式（持分）をどう配分するか？という論点に変わってきますので、不動産賃貸業を営む法人をＭＳ法人にする、またはＭＳ法人にて不動産賃貸業を行うことができるのもメリットの一つです。

■ＭＳ法人のメリット

資産保全が可能	社員総会議決により追い出された理事長は医療機関経営における資産をすべて奪われるリスクがあるため、社員構成や理事構成は慎重に検討する必要がある。同時に不動産等でＭＳ法人が保有して医療法人へ賃貸できるものは、極力ＭＳ法人に持たせておくことで資産保全・資産防衛をすることが可能。
医業承継に活用できる	ＭＳ法人から診療所へ賃貸ができるものについて、できるだけＭＳ法人が所有する形態にし、なおかつＭＳ法人に内部留保を蓄積していくことで、院長個人の相続税対策になるだけでなく、株式の相続・贈与で簡単に後継者へ渡すことができる。
配当が可能	ＭＳ法人運営において剰余金が出た場合には、株主（出資者）へ配当を行うことが可能。生命保険を活用した「非適格現物分配」などをうまく行えば、より効果的な資産形成が可能に。
資産運用が可能	資産運用もＭＳ法人では可能。開業医の多くが行っている不動産賃貸業をＭＳ法人にて行うことは個人の相続税対策においても有効な活用法になり得る。

●MS法人が行う業務

　ＭＳ法人のメリットとデメリットを考察してきました。現状では、ＭＳ法人を設立すると消費税負担が重くのしかかるために、メリットがなかなか出しにくい状況です。そのためにどの業務をＭＳ法人へ委託するのか？　どれだけ利益分散が図れるか？が大きなポイントになります。想定されるＭＳ法人へ委託する業務を列記してみました。

① 　医院の窓口及び受付事務並びに診療報酬請求事務、経理事務の受託

② 　医薬品、医療材料、医療消耗品、医療用器具の仕入、販売、在庫管理

③ 　医院の建物、設備、備品の防災・警備・保守・管理業務及び清掃・衛生管理業務

④ 　医療設備機器、車両等の販売、レンタル、リース業

⑤ 　労働者派遣事業・有料職業紹介事業

⑥ 　健康食品、特定保健用食品、栄養補助食品の輸出入販売及び在庫管理

⑦ 　健康関連商品の仕入販売・在庫管理

⑧ 　不動産の売買・交換・賃貸借及びその仲介並びに所有・管理及び利用

⑨ 　ＨＰの企画・製作・運営・管理

⑩ 　ＨＰのＳＥＯ対策業務

⑪ 　託児業務

⑫ 　駐車場運営業務

⑬ 　経営コンサルティング業務及び経営計画・資金計画作成指導

　この中には、許認可が必要な業務であったり有資格者の配置が必要になる業務もありますので、すべてがすべて簡単に行える訳ではありませんのでご注意下さい。これらの業務をあくまでも市場価格水準の適正な価格設定をしてＭＳ法人が受託することで、効率的・効果的な運営が可能となります。実際に診療所にて行っている業務のうち、どの業務が委託可能か検証してみてはいかがでしょうか？

MS法人へ委託する場合には適正な価格設定をし、その根拠となる資料を準備しておくこと

●MS法人の形態

　MS法人を新たに設立する場合、株式会社にするのか？それともそれ以外の形態をとるのか？は非常に奥深いテーマです。一般的には株式会社で設立するケースが多いですが、実態としてあまり深く考慮されていないのでは？と考えております。株式会社・合同会社・合資会社・合名会社・一般社団法人など、設立する目的によって選択肢は幾つかあります。

　それぞれの形態によって考えられるメリットとデメリットを次図の通りまとめてみました。

	主なメリット	主なデメリット	備考
株式会社	・対外的な印象 ・有限責任 ・1名で設立が可能	・初期費用とランニングコストが高い	役員の任期とみなし解散（12年）に注意
合同会社	・初期費用とランニングコストが安い ・利益配分が自由 ・有限責任 ・1名で設立が可能	・対外的な印象 ・株式公開ができない	
合資会社	・初期費用とランニングコストが安い ・利益配分が自由	・2名以上で設立 ・1名は無限責任 ・対外的な印象 ・株式公開ができない	
合名会社	・初期費用とランニングコストが安い ・利益配分が自由 ・1名で設立が可能	・1名は無限責任 ・対外的な印象 ・株式公開ができない	
一般社団法人	・初期費用とランニングコストが安い ・出資金0円も可能	・2名以上で設立 ・利益配分不可	相続税課税は要注意

　それぞれのメリットとデメリットの詳細な考察はここでは行いませんが、「なぜMS法人を設立するのか」という主目的によっては、合名会社・合資会社・合同会社という選択肢も十分視野に入ってきます。さらに運営を行っていく上で本来の設立趣旨とは違う目的になってきた場合、定款変更を行うことで、形態を変えることも可能ですので、このあたりの活用は医業承継・相続を見据えた立案が必要になるでしょう。

　なおMS法人の役員と医療法人の役員兼務や、医療法人の理事長がMS法人の代表を兼務できないというように考えておられる方がおられますが、これについては厚生労働省が発表している「医療法人運営管理指導要綱2．役員（3）適格性」の備考欄に下記の記載があります。

　医療法人と関係のある特定の営利法人の役員が理事長に就任したり、役員として参画していることは、非営利性という観点から適当でないこと。

　この一文をもって兼務はできないと考えておられる方がおられますが、「非営利性という観点から適当でない」と書いている通り、「非営利性が担保されれば問題がない」と考えることができます。第3章に書きましたが、医療法人における非営利性というのは、「構成員に利益を分配しないこと」ですから、本章でも書きました通り、適正な価格で業務委託をしている場合には、利益配分には該当しませんから、適正な業務委託費の設定ができればいれば、役員兼務は問題ないと考えます。

　ではその適正な業務委託費である証明は、例えば賃料設定であれば近隣相場の資料を取り寄せて比較検討をして決定をしたり、物品販売であれば市場価格を調査して決定をするなど、勝手な価格設定ではなくキチンと根拠を持った価格設定をしておく必要があるということです。これを徹底していれば、役員兼務は問題ないと思われますし、実際に医療法人理事長がＭＳ法人の代表者をつとめているケースは多くあります。なお個人開業医の場合には、「非営利性の徹底」という概念はありませんので、院長がＭＳ法人の役員に就任することは問題ないと思われます。

●ＭＳ法人のまとめ

　本章で考察して参りました通り、ＭＳ法人は消費税負担という最大のデメリットが強調されているために、最近では新設をするケースはかなり少なくなりました。特に医療機関の経営をアドバイスする立場であることが多い会計事務所にとっては、税負担が増えることが多いために関与先への情報提供としては敬遠しがちです。

　ただ、消費税負担が増えるというデメリットがあっても活用を検討する価値があるテーマであると私は考えております。特にＭＳ法人の代表を務めるケースが多い院長の奥様に事業意欲があったり、または不動産投資などを行っている場合には、医療機関からの業務受託だけでない収益の発生が見込まれるために、活用の余地は十分にあります。さらに個人診療所では、経費算入ができない保険の各種活用を行うことにより、院長の可処分所得を増加させる効果を得ることも可能です。

　これらのことを踏まえた上で、グループ全体の税負担だけでなくトータルのメリット・デメリットと開業医のリスクマネジメントならびにライフプランニングという全体像を見据えて検討してみてはどうでしょうか？

院長夫人の「クリニック経営は今日も大変!!」

「良いクリニック」と「そうでないクリニック」

自責で物事を考えられる人　うまくいかないのは自分の責任

[永野]

　今回は視点を保険営業に行って良いクリニックとそうでないクリニックというお話をしてみたいと思います。

[奥田]

　また、なかなか面白そうなテーマですね（笑）。よろしくお願いいたします。

[永野]

　クリニックを大きく分けると当然ながら「良いクリニック」と「そうでないクリニック」の二つに分けられると思います。「良いクリニック」とは、組織として少しずつでも成長させている、もしくは成長させようと努力しているクリニックだと思うんです。この「良いクリニック」と「そうでないクリニック」との分岐点は院長や奥様が「自責で物事を考えるか他責で物事を考えるか?」だと思います。

[奥田]

　そうかもしれませんね。

[永野]

　クリニック経営がうまくいかない原因が外部要因であることも多くありますが、すべてを「他責」で考えるのではなく、少しでも「自分に非はないか?」と自責で考えることで少しずつ成長・進化していくんだと思うんです。
　特にセミナー講師をしていますと、受講された院長の奥様でセミナー後に名刺交換をした後に何の遠慮もなくバンバン電話を掛けてきて質問をした揚げ句に、お礼も相談料のことも言わずに電話を切るような人がたまにいらっしゃるんですよね（苦笑）。

[奥田]

　そういう残念な方ってどこにでもおられますね（笑）。ですから私は、セミナー中に「質問があればメール下さい。絶対に電話は出ませんから」と伝えていますし、そう強く言っても名刺交換

をした人が電話を掛けてくるケースがあるので、携帯に登録していない番号からの電話には絶対に出ないですね（笑）。

[永野]

　残念ながらこういう方のクリニックって運営上に大きな問題を抱えていることが多いので、こういうクリニックに頭を下げて保険営業に行くのはもうやめましょうよ（笑）。

　そんなクリニックに優秀な保険営業パーソンが付いても意味がないと思うんですよね。そういう人は自分の都合で人を呼びつけて使ったりするので、良いように使われるだけだと思うんですよね…。

　それだったら時間と労力をかけて幾ら遠方でも良いクリニック・良い院長・良い奥様のところへ出向いてお役に立ってほしいって思いましたね。

[奥田]

　はい（笑）。

[永野]

　そしてこういう奥様には共通したところがあって、セミナーには数多く参加して話だけは聞いて行動しない方が多いんです。

[奥田]

　わかります（笑）。保険営業も同じです（笑）。保険業界は「セミナー評論家」と「ノウハウコレクター」が異常に多いですから（笑）。

[永野]

　あー、なるほど。セミナー参加しすぎな方を見ると「暇なの？」って思いますね（笑）。

[奥田]

　確かにそうですね（笑）。ですので私は、知識欲が貪欲な人だと思うようにしています。

　どの業界でもどのセミナーでも同じですが、知識欲が貪欲な人は結構多いので、自分が知らないことを教えてもらえたり学べたりするセミナーにはよく行くのだと思うんです。ただビジネスパーソンであればそこで学んだことをいかに実践して成果を出すか？を考えると思うんですが、実践をしない人は結構多いですよね…。

[永野]

　せっかくお金と時間と労力を掛けてセミナーを聞きに行ったのに、活かさなければ意味がないですよね？　そう言えばセミナーでウチのクリニックの事例を話すと「それは永野さんだからできるんですよね」という人もいますし、「永野さんのおっしゃった通りにやったんですけどうまくいきません」と言ってこられる方もいらっしゃいますね…。まさにこんな人は「他責でものを考える人」なので、なかなかクリニック経営はうまくいかないと思うんですよね…。

[奥田]

　セミナーを受講して「良かった」「悪かった」と批判をするのではなくて、実際に行動してみてから良しあしを判断してほしいって思いますね。

［永野］

　実際に受講された奥様からの相談を聞いていると、そこまでよく自分のスタッフを悪く責められますね、って変に感心することがたまにあります。

　「本当に自分に非はないですか?」と聞きたくなりますね。ここが私は「良いクリニック」と「そうでないクリニック」の分岐点だと思うんです。院長先生も同じだと思いますね。「今までのやり方だとこんな失敗をするんだな。じゃあやり方を変えよう」と気付いて行動できるかどうかだと思うんですよね。

　あまり自分を責めすぎるのも良くないですが、少しでも問題点を自分で探してリニューアルするという姿勢は必要ですよね。

［奥田］

　わかります。

［永野］

　そんな相手を責めてばかりで自分の非を認めないような人とは付き合わない方が良いと思いますよ。そういうクリニックは営業先から除外しても良いんじゃないですかね? 前向きな院長、前向きな奥様、前向きなクリニックとだけお付き合いをされてはどうですか?

［奥田］

　おっしゃる通りですね。私も教えられて心掛けているのは、保険営業という仕事は「お客様を選べる仕事」なので、「選ばれる努力でなく選ぶ努力」をするようにしています。

　最初からストレスを感じる相手とは結局良い関係は構築できないので、ご契約をお預かりしてもクレームになることが多いんですよね。我々もお客様を選ぶことは重要ですし、選ぶという観点に立つと「じゃあ自分に何が必要で何が足りないか?」を考えるようになりますからね…。

//

第6章

開業医へのアプローチ

どれだけ情報提供できるかが決め手に

Check Point！ ・「保険の話が聞きたい開業医はいない」という前提に立って面談のストーリーを組み立てること。

・開業医を顧客に持っている業者から紹介をもらおう。それを可能とするランディングを確立することを目指そう。

・会う前にクリニックのＨＰと「医療情報ネット」は必ずチェックし、事業報告書を閲覧すること。初回面談では「必要以上に卑屈にならないこと」。

本章では、今まで解説をしてきた情報を基にして、開業医へのアプローチ方法を考察します。

●マーケティングとブランディング

開業医へのアプローチを考察する前に、非常に重要な概念である「マーケティング」と「ブランディング」について整理を行います。この「マーケティング」と「ブランディング」についてキチンと考えてみたことはあるでしょうか？ 私は保険営業において、この「マーケティング」と「ブランディング」の概念は非常に重要なことだと認識をしています。

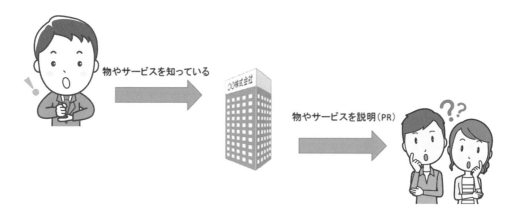

「マーケティング」とは、自社が販売する商品や提供するサービスをＰＲすることであり、「ブ

ランディング」とは自社が販売する商品や提供するサービスを消費者が知っている状態だと私は認識をしています。もう少し保険営業の立場で説明をすると、「保険営業である我々が面談したい相手を席に座らせる作業」が「マーケティング」であり、「保険と言えば奥田と連想する状態」が「ブランディング」だと思っています。

　この「マーケティング」と「ブランディング」は密接に関係しており、詳細は後述しますが、紹介をもらう仕組みは「ブランディング」がすべてと言っても過言ではありません。ある程度、開業医マーケットでの経験と実績が積み上がりますと、この「ブランディング」が確立してきますので、必然的に「マーケティング」も楽になります。これから開業医マーケットに取組むという方については、将来のブランディングを意識したマーケティングに取組むことで、中長期的な活動と収益確保が可能になるのではないでしょうか？

　そのためにはマーケティングにおいて、開業医へどうやってアプローチするか？になりますが、この点についてはできるだけ詳細に解説を行います。

紹介をもらう仕組みは「ブランディング」にかかっている
「ブランディング」が確立するとマーケティングも楽に

●開業医へのアプローチの基本

　私が開業医へアプローチをする時にいつも心掛けていることは、「保険の話が聞きたい開業医はいない」という前提に立って面談のストーリーを組み立てていることです。これは開業医に限ったことでなく、すべての経営者に共通して言えることですが、私は「すでに必要な保険にはすべて入っている」ので「世の中に保険の話を聞きたい経営者はいない」と思っており、この前提に立って考えるとアプローチ方法や面談の組み立て方が決まってきます。

　保険の話は聞きたくない訳ですから、そんな人と面談をするのに初回でいきなり保険商品のパンフレットや保険の重要性を説明しても全く相手にはされないでしょう。そのために何を話すべきか？と考えれば、前章までで解説をしてきたように、医療機関経営にとって役に立つ情報をどう提供するか？　自院が抱える問題を解決するための手法をどう提供するか？ということになります。これらの情報が結果的に保険契約を活用することにつながれば我々、保険営業パーソンにとっては成果へつながることになります。開業医に「役に立つ情報を持っている人」「時間を取って会う価値のある人」と思ってもらえることが、まずは重要なことだと私は考えています。

では、そのために何をしなければいけないか？　私は下図の「保険以外のテーマについてどれだけ情報提供ができるか」がポイントだと思っています。

<ポイント>
◆増患・増収対策
◆医療情勢・厚労省情報
◆経営効率化・業務改善
◆採用・育成・処遇（人事労務）
◆接遇・サービス向上
◆医業承継

　少なくともこれらの情報について、興味がない開業医はかなり少ないですし、ある程度の医業収益を上げているか、これからもっと医業収益を伸ばしたいと考えている開業医にとっては興味のあるテーマだと考えています。これらの情報を整理してお届けするのが最初のアプローチとしては良いのではないでしょうか？

●開業医へのアプローチ手法

　開業医マーケット開拓において最大の問題は、開業医とどうやって会うのか？だと思います。1件でも開業医の既顧客がいれば、まずはその既契約者のフォローから始めてしっかりと関係を構築する訓練をすべきだと思います。

　次に開業医の既顧客が1件もいない場合には、新規のアプローチを行うことになると思いますが、新規アプローチの手法としては「飛込み訪問」「テレアポ・ＤＭ・ＦＡＸアプローチ」「紹介」の3つがあります。実際に私はメンタルブロックがかなり強いので「飛込み営業」は大の苦手としており、私の開拓手法はほぼ100％「紹介」です。

　飛込み営業が苦にならない方は、飛込み営業でクリニックを開拓するのも良いかと思いますが、ただむやみやたらに飛込みでクリニックを回るだけでなく、地域や診療科目・経営形態などをある程度絞った上で訪問されるのが良いかと思います。

　ちなみにクリニックにおいては、午前診の終了後や午後診の開始前に製薬メーカーのＭＲさんや医薬品卸業者さん、医療機械メーカーさんとの面談機会を設定しているところも多く、受付で名刺を渡して院長との面談希望である旨をお伝えすると、1回は院長と面談をする機会が得られることが多くあります。この面談はクリニックによって事情が異なりますので、事前に電話等で面談日の設定の有無を確認するか、診療時間終了間際に行ってクリニックの様子を見

ていると、業者さんがゾロゾロ入っていく光景を確認することができますので、このチャンスを活かせば院長に会える可能性は十分にあります。ただし面談時間は1分から2分程度、長くても数分ですから、このチャンスを逃さないようにしっかりと準備をしておく必要があります。

　次にテレアポですが、個人的にはやみくもにクリニックへ電話をしての営業は、労力のわりに成果が少ないのでは？と考えています。逆の立場になって考えてもらえるとよく分かりますが、クリニックへは我々保険営業だけでなく、各種金融機関や不動産業者など開業医を顧客にしたいと思っている業者が営業攻勢をかけています。その中で院長へ取り次いでもらうための工夫はかなり高度だと思いますし、難易度は高いように思います。これはＤＭについても同様で、いかに院長の目に留まって開封してもらえるか？　そしてその上でレスポンスがもらえるか？は相当な工夫が必要です。さらにＤＭの場合は、郵送コストや印刷コストも相当掛かりますので、精度を上げないとなかなか厳しいのが現実ではないでしょうか？

　そんな中で私が注目しているのはＦＡＸＤＭの活用です。テレアポの場合は架電する時間やタイミングが難しいだけでなく、電話に出た受付をいかに突破するのか？が課題ですし、ＤＭの場合はコスト負担が大きいうえに開封率とレスポンス率をいかに上げるかが課題です。これらに対してＦＡＸＤＭの場合は、送信コストがＤＭに比べると圧倒的に安いことと、1枚に要点をまとめて送れば院長の目に触れる機会が比較的得やすいこと、さらに電話と違ってタイミングを選ばずに送信ができるという点では比較的優れたアプローチ方法だと考えています。

　実際に過去、私が関わった開業医に対する一斉ＦＡＸ送信を使ったプロモーションにおいて、最高のレスポンス率は0.16％程度ありました。レスポンス率が0.16％と言えば少ないように感じるかもしれませんが、ＦＡＸＤＭにおいて0.05％のレスポンス率があれば成功とされている中で、倍以上の反応がありました。実際に10,000件送信をすれば16件もの開業医から「話を聞きたいから来てほしい」という反応が得られるのであれば十分ではないでしょうか？　令和の時代においてＦＡＸＤＭという手法はアナログな感じがするかもしれませんが、意外に効果があるアプローチ手法だと思いますので、ご興味のある方はＦＡＸＤＭの活用を検討してみて下さい。

～開拓において最大の問題は、開業医とどうやって会うか～

◎飛込み営業が苦にならないのなら、午前診の終了後や午後診の開始前にMRや医薬品卸業者等と面談機会を設定しているところも多いので、事前にリサーチすれば、飛込みでも1回は院長に会える

◎「紹介」以外の手法で注目したいのは『ＦＡＸＤＭ』の活用。筆者の場合、最高レスポンス率は0.16％程度で、1万件送信で16件もの開業医から「話を聞きたいから来てほしい」という反応が得られる、効果的なアプローチ

最後に紹介ですが、これが開業医開拓においてはやはり最強だと思いますし、私もほぼ「紹介」で新規面談のセッティングをしております。実際に誰の紹介か？にもよりますが、「○○さんのご紹介でご連絡をいたしました」と言って連絡をすればほぼ間違いなくアポイントが取れますし、最低1回の面談は可能になります。この紹介は「誰からもらうのか？」と「どうやってもらうのか？」がポイントになります。

　まず「誰から紹介をもらうのか？」ですが、私の場合、既存客の開業医からもらうことはほぼありません。これは私自身に紹介を引き出すテクニックがないからだと思いますし、実際に開業医に紹介を依頼することはまずありません。なぜ開業医に紹介を依頼しないか？と言えば、その開業医とある程度深いお付き合いになると、他人には絶対に知られたくない経営や家族に関する秘密について触れる機会が増えてきます。もちろん職業柄、そんなことを他所でベラベラしゃべりませんが、自院や家族のことを知り尽くされた外部業者が親しい開業医仲間のところへ出入りしているのを見るとあまり良い気持ちがしないのでは？と私は考えているので、私から既顧客の開業医へ紹介依頼をすることはありません。ごくまれに「私の友人が開業しているのだが、その先生が困っているので助けてやってもらえませんか？」と言ってご紹介を頂くことはありますが、そういう場合には喜んでお受けしています。

　では開業医以外からどうやって紹介を引き出すか？　これは、開業医を顧客に持っている方々からご紹介を頂いております。具体的には会計事務所・開業コンサルタント・医療経営コンサルタントという経営に携わる方だけでなく、広告業者やホームページ制作会社など開業医に関わっておられるいろいろな業者さんからのご紹介です。これらの方々に開業医が抱えている問題の解決に弊社が役に立つと思って頂けているので、それぞれの業者さんのクライアントである開業医が問題を抱えておられることをキャッチすると、弊社スタッフへ連絡が来て対応をさせて頂くという流れです。「開業医に強い」「医療法人制度に詳しい」というブランディングがある程度できているため、このような紹介というよりも相談はおかげ様である程度、ご依頼頂けるようになりました。そのためには開業医を顧客に持っている業者さんとの接点を増やすことであり、この提携がうまくいけば顧客の相互紹介につながります。もっと言えば開業医が持っている困り事を解決してくれる専門家で自分の専門外の分野の専門家であれば、より良い相互紹介が可能になります。こういうネットワークを構築することがマーケティングであり、ブランディングだと私は考えております。

開業医を顧客に持つ様々な業者とネットワーク構築

◎開業医開拓において最強と言える『紹介』。しかし筆者は既顧客の開業医へ紹介依頼をすることはない。開業医を顧客に持っている、会計事務所・医療経営コンサルタントや広告業者・HP制作会社など様々な業者から紹介を得ている。

◎そのためにはこれらの業者との接点を増やし、「開業医に強い」「医療法人制度に詳しい」というブランディングを確立すること。提携がうまくいけば顧客の相互紹介につながるので、ぜひネットワークを構築しよう

●開業医に会う前の準備

　いろいろな方法で開業医と会えることになった場合、訪問する前の事前準備はかなり綿密に行います。貴重なチャンスを逃さないように、想定されることはすべて準備しますが、その中で当然ながらそのクリニックのホームページは隅から隅までチェックしておき、このクリニックの口コミサイトなどで患者さんが何かを書いているのか？だけでなく、厚生労働省と各都道府県が公表している「医療情報ネット」は事前に必ずチェックをします。

□厚生労働省「医療機能情報提供制度について」

https://www.mhlw.go.jp/stf/seisakunitsuite/bunya/kenkou_iryou/iryou/teikyouseido/

　ここのサイトから各都道府県の医療機能情報提供制度により開示しているサイトへ飛びます。例えば東京都は下記のサイトになります。

□東京都　医療機関・薬局案内サービス

http://www.himawari.metro.tokyo.jp/qq13/qqport/tomintop/

各都道府県のサイトでは、表示形式は異なりますが、基本的な医療機関の情報が記載されていますので、ここで基礎情報を得ることは可能です。

　次に医療法人化している場合には、毎年提出をしている事業報告書の閲覧が可能ですので、事前に事業報告書の閲覧を行います。都道府県によって閲覧方法と場所は異なりますので、事前に都道府県庁のホームページなどで閲覧方法を確認しておいて下さい。開庁時間内であればいつでも誰でも閲覧ができるところもあれば、事前に日時や閲覧をしたい医療法人を伝えて予約をしなければならないところもありますので注意が必要です。

　そしてこの事業報告書ですが、病院と診療所では公開されている書式が少し異なります。この事業報告書の読み解き方を簡単に解説しておきます。

事 業 報 告 書

（自　平成○○年○○月○○日　至　平成○○年○○月○○日）

　1　医療法人の概要
　　(1) 名　　　　　称　　医療法人○団○○会
　　　　　　　　　　　　　① □ 財団　　□ 社団（ □ 出資持分なし　□ 出資持分あり ）
　　　　　　　　　　　　　② □ 社会医療法人　　□ 特定医療法人　　　□ 出資額限度法人
　　　　　　　　　　　　　　 □ その他
　　　　　　　　　　　　　③ □ 基金制度採用　　□ 基金制度不採用
　　　　　　　　　　　　　注）①から③のそれぞれの項目（③は社団のみ。）について、該当する欄の
　　　　　　　　　　　　　　 □を塗りつぶすこと。（会計年度内に変更があった場合は変更後。）
　　(2) 事務所の所在地　　○○県○○郡（市）○○町（村）○○番地
　　　　　　　　　　　　　注）複数の事務所を有する場合は、主たる事務所と従たる事務所を記載する
　　　　　　　　　　　　　　 こと。
　　(3) 設立認可年月日　　平成○○年○○月○○日
　　(4) 設立登記年月日　　平成○○年○○月○○日
　　(5) 役員及び評議員

	氏　　名	備　　　　考
理 事 長	○○　○○	
理　　事	○○　○○	
同	○○　○○	
同	○○　○○	○○病院管理者
同	○○　○○	○○病院管理者
同	○○　○○	○○診療所管理者
同	○○　○○	介護老人保健施設○○園管理者
監　　事	○○　○○	
同	○○　○○	
評 議 員	○○　○○	医師（○○医師会会長）
同	○○　○○	経営有識者（○○経営コンサルタント代表）
同	○○　○○	医療を受ける者（○○自治会長）

　最初のページでは、医療法人の事業年度とその形態や設立年月日などを確認することができます。なお役員及び評議員のリストは都道府県によっては氏名が消されているところもありますので、すべての都道府県で開示している訳ではありません。ここで社団医療法人で持分の有無を確認しておくだけで、アプローチ方法は多少変わってくると思います。

2　事業の概要
（1）本来業務（開設する病院、診療所、介護老人保健施設又は介護医療院（医療法第42条の指定管理者として管理する病院等を含む。）の業務）

種　類	施設の名称	開　設　場　所	許可病床数
病院	○○病院	○○県○○郡（市）○○町（村）○○番地	一般病床　○○○床 療養病床　○○○床 [医療保険　○○床] [介護保険　○○○床] 精神病床　○○床 感染症病床　○○床 結核病床　○○床
診療所	○○診療所 【○○市（町、村）から指定管理者として指定を受けて管理】	○○県○○郡（市）○○町（村）○○番地	一般病床　○○床 療養病床　○○床 [医療保険　○○床] [介護保険　○○床]
介護老人保健施設	○○園	○○県○○郡（市）○○町（村）○○番地	入所定員　○○○名 通所定員　○○名
介護医療院	○○介護医療院	○○県○○郡（市）○○町（村）○○番地	入所定員　○○○名 通所定員　○○名

　注）１．地方自治法第244条の2第3項に規定する指定管理者として管理する施設については、その旨を施設の名称の下に【　　　】書で記載すること。
　　　２．療養病床に介護保険適用病床がある場合は、医療保険適用病床と介護保険適用病床のそれぞれについて内訳を[　　　]書で記載すること。
　　　３．介護老人保健施設又は介護医療院の許可病床数の欄は、入所定員及び通所定員を記載すること。

（2）附帯業務（医療法人が行う医療法第42条各号に掲げる業務）

種類又は事業名	実　施　場　所	備　　考
訪問看護ステーション○○	○○県○○郡（市）○○町（村）○○番地	
○○在宅介護支援センター 【○○市（町、村）から委託を受けて管理】	○○県○○郡（市）○○町（村）○○番地	

　注）地方公共団体から委託を受けて管理する施設については、その旨を施設の名称の下に【　　　】書で記載すること。

　次ページからは本来業務と附帯業務・収益業務の報告がありますので、どのような施設や事業を運営しているのかが確認できます。

次の様式2では、医療法人の財産目録として、上記内容が公開されています。これにより医療法人の規模感であるとか、土地建物の所有状況が確認できます。財産目録の資産・負債・純資産の内容をざっくり見るだけでも、保険営業としてアプローチすべき医療法人かどうか？が確認できます。

様式2

法人名　_____
所在地　_____　　　　※医療法人整理番号　□□□□□

財　　産　　目　　録
（平成　年　月　日現在）

　　　　1．資　　産　　額　　　　　　×××　千円
　　　　2．負　　債　　額　　　　　　×××　千円
　　　　3．純　資　産　額　　　　　　×××　千円

（内　　訳）　　　　　　　　　　　　　　　　　　（単位：千円）

区　　　　分	金　　額
A　流　動　資　産	×××
B　固　定　資　産	×××
C　資　産　合　計　　　　　　（A＋B）	×××
D　負　債　合　計	×××
E　純　　資　　産　　　　　　（C－D）	×××

（注）財産目録の価格は、貸借対照表の価値と一致すること。

土地及び建物について、該当する欄の□を塗りつぶすこと。
　　土　　地　（□法人所有　□賃貸　□部分的に法人所有（部分的に賃借））
　　建　　物　（□法人所有　□賃貸　□部分的に法人所有（部分的に賃借））

様式 3-2

法人名 _____

所在地 _____　　　　※医療法人整理番号 ☐☐☐☐☐

貸　借　対　照　表
（平成　　年　　月　　日現在）

（単位：千円）

資　産　の　部		負　債　の　部	
科　　目	金　額	科　　目	金　額
Ⅰ 流動資産	×××	Ⅰ 流動負債	×××
Ⅱ 固定資産	×××	Ⅱ 固定負債	×××
1.有形固定資産	×××	（うち保有医療機関債）	（×××）
2.無形固定資産	×××	負　債　合　計	×××
3.その他の資産	×××	純　資　産　の　部	
（うち保有医療機関債）	（×××）	科　　目	金　額
		Ⅰ 基金	×××
		Ⅱ 積立金	×××
		（うち代替基金）	（×××）
		Ⅲ 評価・換算差額等	×××
		純　資　産　合　計	×××
資　産　合　計	×××	負債・純資産合計	×××

（注）経過措置医療法人は、純資産の部の基金の科目の代わりに出資金とするとともに、代替基金の科目を削除すること。

様式 4-2

法人名 _____

所在地 _____　　　　※医療法人整理番号 ☐☐☐☐☐

損　益　計　算　書
（自　平成　　年　　月　　日　至　平成　　年　　月　　日）

（単位：千円）

科　　目	金　額
Ⅰ　事　業　損　益	
A　本来業務事業損益	
1　事　業　収　益	×××
2　事　業　費　用	×××
本　来　業　務　事　業　利　益	×××
B　附帯業務事業損益	
1　事　業　収　益	×××
2　事　業　費　用	×××
附　帯　業　務　事　業　利　益	×××
事　業　利　益	×××
Ⅱ　事　業　外　利　益	×××
Ⅲ　事　業　外　費　用	×××
経　常　利　益	×××
Ⅳ　特　別　利　益	×××
Ⅴ　特　別　損　失	×××
税　引　前　当　期　純　利　益	×××
法　　　人　　　税　　　等	×××
当　　期　　純　　利　　益	×××

（注）1.利益がマイナスとなる場合には、「利益」を「損失」と表示すること。
　　　2.表中の科目について、不要な科目は削除しても差し支えないこと。

　　様式3は貸借対照表、様式4は損益計算書となります。病院であればもう少し詳細な貸借対照表・損益計算書が公開されていますが、クリニックであれば上表になります。ただこれだけでも概要をつかむには十分です。

特に注目すべき点は、保険診療の場合には当月の診療報酬は翌々月の 20 日前後に入金となるため、流動資産の医業未収入金は、本来事業の医業収益の 2/12 相当額が計上されていることが一般的です。流動資産からこの医業未収入金を差し引いた残りの大半が、預貯金であると考えられるため、そこを見るだけでも保険料負担能力がどの程度あるのか？が想像できます。そして貸借対照表の負債の部にて流動負債と固定負債が確認できますので、この事業報告書を見るだけで保険営業パーソンとしてターゲットにすべき医療法人か否かの判断が可能です。

法人名							⟨医療法人整理番号					
所在地												

関係事業者との取引の状況に関する報告書

（1）法人である関係事業者

種類	名称	所在地	総資産額（千円）	事業の内容	関係事業者との関係	取引の内容	取引金額（千円）	科目	期末残高（千円）

（2）個人である関係事業者

種類	氏名	職業	関係事業者との関係	取引の内容	取引金額（千円）	科目	期末残高（千円）

様式 5 は第七次医療法改正からルール化された関係事業者との取引報告書です。ここの詳細は 4 章で解説をしましたので、ここでは割愛します。

次ページの様式 6 は監事報告書です。ここの監事記名欄も消されている都道府県がありますが、表記されている場合にはこの監事が誰なのか？はチェックをしておいても良いかと思います。前述の通りですが、第七次医療法改正により、監事の権限と責任が明確化されている中、監事としての実態がない親族が監事に就任しているケースや、顧問税理士・顧問弁護士が就任していて通常業務で顧問料を得ている場合には、利益相反取引となりますので、きちんと理事会承認が取られているのか？　実際に問題が発生した場合に機能する監事体制になっているか？は一言アドバイスをすべきだと思います。

これらホームページと事業報告書のチェックの他に、求人広告サイトの掲載有無や患者が投稿する口コミサイトでの評判などもチェックしておくと、実際にお会いした際の話のネタを準備することができますので、これら事前準備はしっかりとしておくべきです。さらに言えば事業報告書が確認できる医療法人においては、結論を言えば「アプローチすべき医療法人かどうか」を見極めることができますので、医療法人を訪問する際は必ず事業報告書はチェックしておくべきですし、逆の表現をすれば、事前に事業報告書で医療法人の「懐具合」が確認できますので、同じアプローチをするのであれば医療法人化しているクリニックが良いのでは？と考えております。

様式6

監　事　監　査　報　告　書

医療法人○団○○会
理事長　○○　○○　　殿

　　私（注1）は、医療法人○団○○会の令和○○会計年度（令和○○年○○月○○日から令和○○年○○月○○日まで）の業務及び財産の状況等について監査を行いました。その結果につき、以下のとおり報告いたします。

監査の方法の概要
　　私（注1）は、理事会その他重要な会議に出席するほか、理事等からその職務の執行状況を聴取し、重要な決裁書類等を閲覧し、本部及び主要な施設において業務及び財産の状況を調査し、事業報告を求めました。また、事業報告書並びに会計帳簿等の調査を行い、計算書類、すなわち財産目録、貸借対照表、損益計算書及び関係事業者との取引の状況に関する報告書（注2）の監査を実施しました。

記

監査結果
(1) 事業報告書は、法令及び定款（寄附行為）に従い、法人の状況を正しく示しているものと認めます。
(2) 会計帳簿は、記載すべき事項を正しく記載し、上記の計算書類の記載と合致しているものと認めます。
(3) 計算書類は、法令及び定款（寄附行為）に従い、損益及び財産の状況を正しく示しているものと認めます。
(4) 理事の職務執行に関する不正の行為又は法令若しくは定款（寄附行為）に違反する重大な事実は認められません。

令和○○年○○月○○日
医療法人○団○○会
監事　○○　○○　実印

（注1）監査人が複数の場合には、「私たち」とする。
（注2）社会医療法人債を発行する医療法人については、「財産目録、貸借対照表、損益計算書、純資産変動計算書、キャッシュ・フロー計算書及び附属明細表」とする。

●開業医との面談

　開業医との初回面談は、よほど強力な紹介者からの紹介でない限りは、診療後か診療との間のわずかな時間での面談であることがほとんどです。わずか数分の初回面談で私が心掛けていることは、

　・保険の話は開業医が聞きたいと言わない限りは絶対にしない。

　・どこに悩みがあるのか？

　・次回面談のアポが取れる宿題をどうもらうか？

　・今後のコンタクト方法はどうすれば良いのかを確認する。

の4点です。最初の保険の話をしないというのは前述の通りなので割愛しますが、我々にとって一番考えるべきことは、次回のアポイントへどうつなげるか？だと思います。そのために宿題がもらえてその回答のために次回訪問するという口実が必要になりますので、開業医の悩みがどこにあるのか？　医院経営上の人事労務なのか資金繰りなどの財務なのか、それとも税金に関することなのか？　または医業承継なのか？　それら以外のプライベートな悩みがあるのか？などをどこまで探れるかが重要であり、この悩みにたどり着ければ次回のアポイントをもらえるきっかけとなります。そしてさらに重要なのは、開業医とのコンタクト方法です。クリニックへ連絡をしてアポイントを取る場合には、連絡できる時間帯やタイミングが限られているので、コンタクトを取るだけでも一苦労します。そのために個人携帯やメールアドレスなどを確認して、そちらへ直接連絡ができるようになれば、アポイントの確定に無駄な労力を使わなくて済みますので、このコンタクト方法の確認は重要だと考えています。

　そして開業医との面談で私が最も重要だと考えていることは「必要以上に卑屈にならないこと」です。私の師匠がおっしゃっていて腑に落ちて実践している考え方があります。それは「契約をもらっていない人は客じゃないんだから、頭を下げる必要もないし卑屈になる必要もない」という考え方です。

　初回面談時にまだ契約をもらっていない開業医に対して、卑屈になる必要はありません。もちろん横柄な対応は論外ですが、丁寧な対応をしつつも「まだ客じゃない」と思えば、冷静に開業医との面談に臨むことができます。もっと言えば、「この開業医は自分の契約者にふさわしいか？」という視点で面談をしてちょうど良いくらいだと思います。

　実際にこれは私の失敗事例ですが、つい数年前にとあるルートから紹介された整形外科クリニックの理事長とお会いしました。最初にお会いした時に、この理事長に対して「違和感」を抱いたのですが、初回面談からトントン拍子に保険の話となり、初回面談時で保険証券や決算資料の回収ができるなどかなり良い面談となりました。その後、いろいろと情報提供や提案を行

ったのですが、結果としてはすべて他代理店に私の提案内容を持っていかれてしまったという苦い経験があります。最初に感じた「この理事長と今後良いお付き合いができるのだろうか？」という違和感は結果として正しかった訳で、目先の成果や契約に目がくらむと失敗をするという事例です。この失敗事例は自分にとって過去に何度も繰り返してきた失敗であり、自分自身が成長していないことに愕然とした事例でした…皆様もくれぐれもご注意下さい。

～わずか数分だけの初回面談で心掛けるべきこと～

◎開業医の悩みが一体何なのか（人事？　財務？　医業承継？　税金？　プライベート？）を探れるかどうか。この悩みにたどり着ければ次回のアポイントをもらえるきっかけに

◎コンタクト方法も重要で、連絡できる時間帯やタイミングが限られているため、コンタクト方法は個人携帯やメールアドレスが最適

◎大切なのは「必要以上に卑屈にならないこと」。まだお客じゃないと思えば冷静になることができる。もっと言えば「この開業医は自分の契約者にふさわしいか？」という視点で面談を

●開業医とのアポイント

　開業医と会える時間帯は何度も書いてきましたが、ずばり「診療時間外」です。開業医によってもまちまちですが、診療時間終了間際になりますと、クリニックの待合室にはMRと呼ばれる医薬品メーカーの担当者や金融機関担当者など、患者さんとは違う雰囲気の人が待っていることがあります。彼らは、開業医に会って打ち合わせをしたり、商品のプレゼンをしたりするために診療時間が終わるのを待合室で待っています。ただ会うだけなら、午前の診療が終わる直前に訪問すれば開業医とは会えます。ただ、保険という商品を説明したり、保険に関するニーズをヒアリングしようと思えば、ある程度の時間を要することになります。その場合には、MRや金融機関担当者に交じって時間を取ってもらうだけでは足りないケースがほとんどです。

　一番ゆっくり時間を取ってもらいやすいのは、診療のない休診日か午後の診療が終わってからになります。なお午前の診療が終わってから、午後の診療が始まるまでの間の時間帯は、開業医によっては、医師会の活動時間に当てているケースや、ゆっくり休憩を取って午後の診療に備えるために時間が取れないケースもあります。一番確実なのは、休診日か午後の診療後でしょう。

　あと、クリニックの多くが土曜日は午前の診療だけにしているので、土曜日の午前診終了後

も時間を取ってもらいやすいです。特に土曜日は、前述のＭＲや金融機関担当者が、ほとんど訪問しないのと、午後診がないことも重なって、ゆっくり時間を取ってもらうように依頼すると土曜日を指定する開業医も多くいます。

　個人的な経験で申し上げますと、土曜日の午前診終了後が一番会え、その次に平日の午後診終了後です。休診日も会えなくはないですが、休診日は先生自身も休みたいのと、一日予定を入れられる先生も多くいらっしゃいますので、それほど多くないように感じます。

　ですから、開業医マーケットを開拓する際には、平日夜や土曜日午後の使い方がポイントになってきます。さらに患者さんが多く訪れるクリニックであれば、診療時間ピッタリに終わることはまずなく、時には大幅に延長して診療しているケースも多くあります。そういうクリニックこそ、ぜひとも契約を頂きたいクリニックなわけですから、開業医マーケットを開拓する際には、アポイントを詰め込みすぎないように、夜間や土曜日に活動して下さい。

ゆっくり時間をとってもらいやすいのは休診日か午後の診療が終わってから。土曜日が狙い目で、筆者の経験では、土曜日午前診終了後が一番会え、その次が平日午後診終了後

●開業医マーケットは時間が掛かる

　開業医マーケットに取組む際のポイントは「焦らないこと」だと私は思っています。簡単に言えば、初回訪問から保険提案→成約までの期間は、一般法人よりも長いように感じています。そのため、今月・来月の成果を目指して開業医マーケットに取組むと良い結果は生まれないでしょう。ある程度、時間が掛かることを想定しての取組みが重要です。

　ただ少し事情が違うのは、損害保険を切り口にした場合です。クリニック内の医療機器に対する保険や所得補償保険などで、現在加入されている内容よりもコストが抑えられるか、補償が充実するなどの分かりやすいメリットがあれば、比較的早くプレゼン→意思決定→契約というプロセスに至るケースがあります。そのために損害保険が扱える方は、クリニックにおける損害保険の知識をしっかりと押さえておけばアプローチをする際の幅は広がります。これら損保商品は、人間関係が構築される前であっても状況によっては情報提供ツールとして使えますので、ぜひとも押さえておいて下さい。

　あとこれはあくまでも個人的な印象ですが、診療科目によってもアプローチ期間は変わってくると思います。比較的意思決定が速い診療科目は「外科」「整形外科」「眼科」の先生であり、意思決定に慎重な診療科目は「内科」「小児科」「心療内科」の先生のように感じています。もちろん先生の個性にもよりますし、男女差もあるように思いますが、「外科」「整形外科」「眼科」の先生方は患者さんの診療においても、症状を見てヒアリングをした上で、原因を特定してすぐに処置を行う診療スタイルであるのに対して、「内科」「小児科」「心療内科」の先生方は、すぐに原因が特定できる疾患はそれほど多くなく、ある程度の可能性を仮説として立てて、それに対して投薬等で症状を改善させていく診療スタイルであるために、意思決定プロセスの差があるのでは？と勝手に考えています。

　どちらにせよ、開業医マーケットへ取組む際は、成果が上がるまでにある程度時間が掛かることは覚悟した上で取組むことが重要だと思います。そのために、これから開業医マーケットに取組みたいという方は、いきなり全活動を開業医マーケットへと舵を切るのではなく、既存マーケットで必要な成果を確保しつつ、時間を作って少しずつ取組んでいくのが良いのではないでしょうか？

開業医マーケットに取り組む時は「焦らないこと」

◎いきなり全活動を開業医マーケットへと舵を切らず、時間を作って少しずつ取組んでいくのがベスト。今月・来月の成果を目指して取組むといい結果にはならない。比較的意思決定が速い診療科目は「外科」「整形外科」「眼科」の先生

◎損害保険を切り口にすると、比較的早く、プレゼン→意思決定→契約というプロセスに至ることもある。人間関係が構築される前でも情報提供ツールとして使え、アプローチの幅が広がるため、損害保険の知識をしっかり押さえておく

●継続的なフォローとアプローチを

　前述の通り、開業医マーケットの取組みは時間が掛かります。出会い頭的に早くご契約をお預かりできる場合もありますが、基本的には時間を掛けてじっくりと信頼関係の構築と距離感を縮める努力が必要だと考えています。そのために顧客にしたい開業医に対しては継続的なフォローが必要になりますし、幸いにもご契約をお預かりできたら、その後も丁寧なフォローが必要だと私は思っています。

　特に生命保険営業パーソンの場合、契約をお預かりすることがゴールと考えている人が多いですが、私は開業医にかかわらずお客様からご契約をお預かりした時点から「最後までフォローする責任が開始した」と考えています。「最後までフォロー」というのは契約が終了するまで

フォローをし続けるということです。ご契約者のフォローと言えば保全や保険金・給付金請求と考える人が多いですが、これは保険扱者として当然のことです。私が考えるフォローというのは、顧客に対して有益な情報と利益を与えることだと考えていますので、生命保険契約者でも最低でも年に1回は訪問するようにしています。

　もちろん既契約者ですから、現在お預かりしている保険の一覧表や現時点での解約返戻金等の保険に関する情報提供も必要になりますが、それだけだと頻繁に訪問できるネタにはならないので、開業医へいかに有益な情報を届けられるか？がポイントになります。最初のアプローチと同様に、「保険の話が聞きたい経営者はいない」という前提に立てば、既契約者へのフォローにおいても経営に関するテーマを中心に、契約者である開業医が抱えているであろう問題の解決方法や、最新の厚生労働省情報など、忙しい時間を割いてでも会う価値があると思わせる情報提供が必要になります。

　あとは、訪問をしての定期的なフォローも限界がありますので、ニュースレターやメールマガジンなどを配信して定期的にコンタクトを取る方法もあります。これであれば、数多くの契約者・見込み先に対して一斉にフォローができるメリットがあります。ただ定期的にニュースレターやメールマガジンを配信するにはコンテンツの作成や、郵送物であれば封入・発送作業などの手間が掛かります。この手間を掛けても価値があるフォロー方法だと私はと思っておりますので、弊社でも毎月1回、既契約者だけでなく継続フォロー先の見込み先の開業医へニュースレターを送付しております。このニュースレターの送付は、案外効果がありますので、手間とコストは掛かりますが毎月、送付をしております。

　こうしてニュースレター等で定期的なフォローを行っていると、「医業経営に詳しい保険代理店」という「ブランディング」を確立することができますので、一度はアプローチをしたがタイミングやニーズが合わずに契約を預かれなかった見込み先からの問い合わせが来るケースもあり、それがきっかけとなって成約に至ることもあります。

　開業医へのアプローチにおいての基本は、保険以外の情報提供をいかに定期的に行うか？だと私は考えております。

1. 契約したら終わり、ではなく「最後までフォロー」すべし

2. フォローとは、"忙しい時間を割いてでも会う価値がある"と思わせる情報提供を行うこと

3. ニュースレターやメールマガジンを活用しよう。特にニュースレターの送付は効果が高いので手間とコストを惜しまず、毎月送付すること

定期的なフォローを行っていると、「医業経営に詳しい保険代理店」という「ブランディング」が確立し、一度は駄目だった見込み先から問い合わせがきて、成約に至るケースも

コラム

院長夫人の「クリニック経営は今日も大変!!」

「患者さんが少なくても手取り多いクリニックも」

概算経費率の適用で経営にゆとり

［永野］

　4月に10周年を迎えたんですが、そこで一区切りになったのか、最近少しクリニックに勢いがないように思うんです…。

［奥田］

　クリニック経営を考えた場合、開業してから5〜10年程度は患者さんも収益も右肩あがりで伸びて、一旦ピークを迎えられる時期がくるので、その時期なんでしょうか？

［永野］

　診療科目と場所にもよると思いますよ。医療系の雑誌を見ていると内科とかは「5年で収入は頭打ちになるので、経費の削減などに取り組んで収益性の向上をはかりましょう」という記事を見たことがありますが、5年で頭打ちになるのは厳しいですよね。でも内科の場合ですと、無理に収入を伸ばさずに5000万円以内に収めるという手もありますよね。

［奥田］

　租税特別措置法26条の概算経費率ですね。これが適用になれば、確かに手残り金額が多くなるケースが多いですからね。

［永野］

　特に内科ですと、スタッフを助手ばかりにすれば人件費を抑えることもできますしね。要はクリニックの方針で、患者さんが少なくても経費が少なければ手残り金額は多くなるということもありますし、患者さんが多く来ているからお金がたくさん残るわけではないですからね。

［奥田］

　おっしゃる通りですね。開業をされた当初は、借入金の返済もありますから頑張って患者さんを増やそうとされてきた「がむしゃら感」が強かったですが、ある程度の年数がたって落ち着いてこられる頃に、患者さんの数や収益の伸びが少し止まるような感じですか？

[永野]
　ウチの場合、院長は医業に対するテンションは全く下がっていないと思うんです。

[奥田]
　むしろ年々上がっておられるように端からは見えています。

[永野]
　そうですよね。実際に5月は大型連休があり、臨時休診があっても新患数は減っていないんです。

[奥田]
　それもすごいですね…。

[永野]
　でも点数的にはかなり下がっていて、例年の5月に比べると悪かったんです。再初診ではなく純粋に初診の患者さんは全く減ってはいないんで、院長は「俺は頑張ってるけどな」と言うのでその通りなんですが、私自身とクリニック全体に少し勢いがないんですよね。

[奥田]
　なるほど…。

[永野]
　先日、ある方に言われてすごく納得したのが、「再ブランディングの時期ですよね」ということです。10年たって何のために開業したのか？　自分たちは何のために存在しているクリニックなのか？を見直す時期ですね、と言われて、その通りだと思いましたね。

[奥田]
　なるほどですね。でも永野整形さんの場合、診療にエコーを取り入れて治療の技術向上にかなり取り組んでおられますよね？　そういう意味では方向性はある程度、明確なようにも思うのですが…。

[永野]
　そうですね。院長をはじめPT（理学療法士）はエコーの勉強に熱心で、各地に行ってセミナーを受講したり勉強したりしていますが、その勉強が点数にまだあまり繋がっていないような感じがしていて、それをどうやって結びつけるか？というのを考えないといけない感じですね。

[奥田]
　そうですか。

早く治せば、患者さんが少なくなってしまう？

[永野]
　5月のレセプト集計が終わった時に院長へ「かなり少なかった」と報告をしたら「治し過ぎたか？」と言って笑っていましたけどね（笑）。

［奥田］

　なるほど（笑）。

［永野］

　ウチの場合は、リハビリの患者さんを多く抱えてというスタイルじゃなく、患者さんの症状をどんどん治して早く治療を終わらせていくスタイルなので、治療が終われば患者さんは当然来なくなりますから、その分、初診や再初診をいかに確保していくか？が重要なんですよね。患者さんにとっては、来院回数が少なくて早く回復することが良いことなわけですから…。

［奥田］

　それはそうですよね。医療機関の場合、再診やリハも含めたリピートがあるということは患者さんが良くなっていないということですから、患者さんにとっては喜ばしいことではないですよね。

［永野］

　そうですね。せめて通院回数を毎週だったのを月に１回とか２か月に１回程度で済むようにしていかないとQOLも上がらないですし、クリニックとしての存在価値はないですからね。内科と違って整形の場合は、完治して来院されなくなる患者さんが多いですから、いっぱい治して良くなっているのに来院数が減ってしまってスタッフが怒られるのも違いますからね。

　そういうこともキチンと評価する仕組みは必要ですね。あと新患数や再初診数が減っているとクリニックに対する評価が落ちているのかな？とも思いますが、ウチの場合は、新患数や再初診数は減っていないので、地域からは一定の評価は頂いていると思うので、真面目に治療して患者さんに良くなってもらうことを地道に継続していけばよいと思うのですが。

［永野］

　一般の事業の場合は、普通に「頑張って利益あげろ」と指示をすればよいのでしょうが、医療の場合は頑張って治せば患者数は減りますし、じゃあ患者数を確保するために治さないというのは違いますから、そのバランスをどうとるかですね…。

［奥田］

　確かにおっしゃる通りで、患者さんの症状を治すために治療をするわけですから、治って来院しなくなることは喜ばしいことですからね。そのあたりはわれわれ保険営業とちょっと似ているように思いますね。たくさんの契約を頂いて稼いでいる人が、良い営業というわけではなくて、契約数や売上は少なくても、良いサービスを提供して顧客満足度が高い人はたくさんいますから、売上が上がっているから「良いクリニック・良い保険営業」というわけではありませんからね。

//

◎参考～日本医師会「医師年金」の仕組み

●加入資格

　加入日現在、満64歳6か月未満の日本医師会会員。また、年金の受給権が発生する満65歳までは日本医師会の会員であることが条件。会員の種別は問わない。

●保険料

　保険料には、全員加入の「基本年金保険料」と、任意加入の「加算年金保険料」がある。これらを合算したものが、将来、養老年金として受給できる。（養老年金のほか、育英年金、傷病年金もあり）

■基本年金保険料（加入者全員一律に加入）	■加算年金保険料（任意の加入）
月　払：月 12,000 円 年　払：年 138,000 円 一括払：払込時年齢に応じた金額	月　払：1口 6,000 円で何口でも 随時払：10万円単位でいくらでも

　本人が死亡した場合、遺族が遺族年金（または遺族一時金）を受給できる。養老年金受給前の死亡では、払込済保険料と利息相当額が、遺族脱退一時金として遺族に支給される。また、満56歳以上かつ加入期間3年以上の加入者及び受給延長者が死亡した場合、遺族年金も選択できる。養老年金受給開始後の死亡では、保証期間の残余給付期間について同額の年金が、遺族年金として遺族に支給される。遺族年金に代えて遺族清算一時金を選択することもできる。

●税金の取扱い

　保険料は所得控除の対象にならない。年金（育英年金、傷病年金を含む）は掛金相当額を引いた金額（利息分）が「雑所得」になる。遺族年金は受給権が「みなし相続財産」として相続税の課税対象になる。脱退一時金は保険料相当額を差し引いた金額（利息分）が「一時所得」となる。

●モデルケース（B1コース　15年保証終身型）

加入 年齢	基本保険料月額	加算保険料月額 （1口　6,000円）	月額保険料 合計	年金月額 （15年保証終身・ 65歳から）
満25歳	12,000 円	12,000 円（2口）	24,000 円	約 52,800 円
満35歳	12,000 円	36,000 円（6口）	48,000 円	約 69,400 円
満45歳	12,000 円	66,000 円（11口）	78,000 円	約 86,500 円
満50歳	12,000 円	96,000 円（16口）	108,000 円	約 86,500 円

第7章

開業医への保険提案

リスクマネジメントの全体像の把握から

Check Point！・保険を活用することはリスクファイナンスのうち移転対策の一部でしかない。重要なのは、損失が発生しても運営上に支障をきたさないだけの財務力を有すること。
・「事業保障」「家族保障」「事業リスクの補償」の３つを、開業当初と収益が伸び始める時期のステージに分けて提案。
・逆養老や契約者名義変更プランは医療法違反であることを認識し、養老保険を使ったハーフタックスプランも導入は慎重に。
・一度契約したらそのまま更改・放置ではなく、定期的に訪問をして状況変化を確認しフォローを。

　本章では、実際に開業医へ保険提案をする際のポイントを解説しますが、まず最初に開業医が抱えるリスクと、それに対するリスクマネジメントの全体像を確認しておきます。

●診療所経営におけるリスクマネジメント

　診療所経営におけるリスクマップは下図になります。

リスク項目

①診療報酬の改定
②医師の死亡・就業不能
③薬価等の変動
④近隣での競合の開業
⑤医療制度の改定
⑥医療過誤
⑦院内感染
⑧天災（地震・台風等）
⑨火災・爆発等
⑩個人情報の漏洩
⑪食中毒
⑫労働災害（使用者責任含む）
⑬施設事故（賠償責任等）
⑭医師・看護師等の不足
⑮雇用トラブル

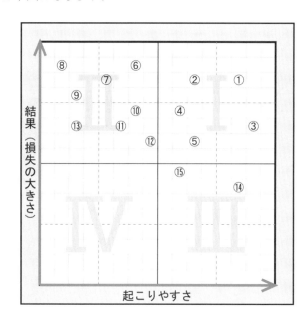

※新日本保険新聞社「改訂新版　業種別リスクマネジメント」
　（ARICE ホールディングス著・（株）AIP[編著]・監修：松本一成）より引用

　リスクマップの見方を解説しますと、横軸にリスクの「起こりやすさ」を取り、縦軸はリスクが顕在化した際の「結果（損失の大きさ）」を表します。一般的にリスクが起こりやすくて、顕在化した際の損失が大きいもの（Ⅰエリア）は、基本的には保険商品での対応ができませんので、この部分のリスクに対しては、普段からいかに備えておくか？というリスク対策が必要になります。保険商品での対応はⅡエリアの「起こりにくくて顕在化した際の損失が大きいもの」とⅢエリアの「起こりやすいが顕在化した際の損失は小さいもの」になります。

　これらのリスクを踏まえてリスク対策を検討することになりますが、その全体像は下図になります。

※新日本保険新聞社「改訂新版　業種別リスクマネジメント」
　（ARICE ホールディングス著・（株）AIP[編著]・監修：松本一成）より引用

　前述した診療所経営におけるリスクのうち、そもそも回避できるリスクと回避できないリスクに分別した上で、発生時の損失をいかに軽減するか？　そして発生する頻度をいかに低減させるか？を個別リスクごとに検討し対策を講じていく必要があります。そしてこれらのリスクが顕在化した際に、どのような対策を取るのか？は特に災害や事故発生時には重要になります。これらリスクコントロールをしっかりとしたうえで、実際に発生する損失に備えるリスクファイナンスを検討することになりますが、上図を見てお分かりの通り、保険を活用することはリスクファイナンスのうち移転対策の一部でしかありません。重要なのは、リスクが顕在化しない仕組みと顕在化しても最小の損害で抑えられる仕組み作りであり、その上で損失が発生しても運営上に支障をきたさないだけの財務力を有することであり、この財務戦略には生命保険の積立機能も十分に活用ができます。

　なお、保険に加入をしないことは「リスクを保有すること」と同義であり、特に発生頻度は少ないが、発生した際の損害が大きくなるような⑥医療過誤・⑧天災・⑨火災・爆発等・⑩個人情報の漏洩・⑫労働災害・⑬施設事故などは、損害保険を活用することにより、低コストでリスク移転が可能になります。詳しくは後述します。

●開業医への保険提案

開業医への保険提案の組み立てについて、開業医のステージごとに検討をしています。

●開業当初

　開業当初のニードは「事業保障」「家族保障」「事業リスクの補償」の3つに分けられると思います。これから開業をする、または開業間もない頃は多くの場合、個人事業として開業をしているケースが多いので、生命保険については個人契約での組み立てが中心になります。さらに開業にあたって多額の借入金を行っている上に医業収益がまだ発生していないか、それほど伸びていない時期ですから、できるだけコストを抑えて最低限必要な保険を確保するイメージになります。

「事業保障」

　借入金対策としては、融資を受ける際の団体信用生命保険と生命保険会社が発売している収入保障保険（逓減定期保険）との比較になります。事業を継続していく中で元利金を返済していくわけですから、保障が年々減るタイプの方が効率的な付保が可能になります。特に収入保障保険では、各社が「非喫煙者割引」や一定の健康状態をクリアーしていれば適用できる「健康体（優良体）割引」を設定しているために、団体信用生命保険よりも安くなるケースがあります。この場合、融資銀行から保険証券に対して質権設定を要求されるケースもありますが、これは提案する保険会社が対応可能かどうかを事前に確認をしておく必要があります。あと医師協同組合や保険医協同組合が発売している「グループ保険」であれば、低コストでかつ告知で高額な保障を確保できるケースもあります。前述の収入保障保険や逓減定期保険が扱えない方については、それぞれの協同組合への加入は必要になりますが、こちらをご案内されるのも良いのではないでしょうか？

　この借入金対策以外にも、有事の際にクリニックがどうなるか？によっては、職員の退職金やクリニック閉鎖に伴う資金も必要となりますので、保険金額はしっかりと打ち合わせをした上で設定をする必要があります。特にテナント開業の場合で、早期に閉院→賃貸契約解約となった場合には、違約金等の支払いが必要になるケースも想定されるので、その費用も必要保障額計算には上乗せしておく必要があります。

> 事業保障
>
> 　借入金対策は、団体信用生命保険と生保各社の収入保障保険（逓減定期保険）で。とくに後者で健康体割引が適用できれば団信より安くなるケースもある。これらが扱えない場合は協同組合のグループ保険を検討するのも一手。借入金対策以外にも有事の際に必要な資金を洗い出し準備しておく。

「家族保障」

　事業保障は、院長に万が一のことがあった場合にクリニック運営上必要となる資金確保になりますが、当然ながら残されるご家族を守るための「家族保障」も必要になります。開業にあたって今まで準備してきた資金をかなりつぎ込んでいるケースも多いため、金融資産が少なくなっている場合には、ご家族がその後の生活に困らないだけの「住宅資金」「教育資金」「生活資金」を算出した上で、保障を確保する必要があります。開業当初は医業収益が伸びず、可処分所得がそれほど多くありませんから、できるだけ安い保険料でご提案する必要があります。ただし将来的には可処分所得が大きくなって保険料負担能力が大きくなるケースも十分想定されますので、将来的に貯蓄性のある他保険への変換などができる保険会社の商品で保障を確保するのが望ましいでしょう。

> **家族保障**　開業資金で金融資産が少なくなっているケースも多い。開業当初は医業収益がなかなか伸びないので、「住宅資金」「教育資金」「生活資金」の準備について、できるだけ安い保険料で提案。将来的に可処分所得が大きくなっていけば貯蓄性のある保険などへ移行。

「事業リスクの補償」

　事業を行う上で、院長の死亡リスク以外の分野を検討します。真っ先に検討しなければならないのは、院長が病気やケガで診療できない場合の休業補償です。院長が病気やケガで診療ができないとき、病気やケガの程度にもよりますが、重篤な場合には閉院もあり得ますし、長期にわたる休業の場合には代診医を立てるケースもあります。ただ代診医はあくまでも代打ですので、院長先生と同じだけの診療報酬が得られるかどうかは微妙で、代診医の給与と若干の固定費がまかなえる程度とみておくべきです。そのため、借入金の返済や家賃等の固定費、スタッフ給与は所得補償保険で備えておくべきです。仮に短い休業であったとしても休業時には、平均賃金の60％以上を支払わなければならないと労働基準法26条で定められています。このため、開業医の多くは所得補償保険に加入をしています。代表的なのは医師協同組合の団体職補償保険や保険医協同組合の休業保障共済です。これらの他に民間の所得補償保険や所得補償共済など、医師向けの商品は幾つかありますので、コストと補償範囲を確認しながらよりよい商品で補償を確保する必要があります。

　なおこの所得補償保険は、個人開業医の場合は生命保険料控除の対象となり、カテゴリーは「介護医療保険料控除」の対象となります。医療法人化して医療法人の契約となり、保険金受取人が医療法人の場合には保険料は損金処理が可能です。あとＭＳ法人を設立している場合には、ＭＳ法人の役員に院長先生を加えることで保険契約が可能になります。ＭＳ法人に業務委託費を支払っている場合には、院長先生が休業するとＭＳ法人は売上が計上できなくなりますので、委託費収入分はＭＳ法人で契約することも一考です。これによりＭＳ法人契約の所得補償保険は損金処理が可能ですから、個人の所得補償保険を少し減額するとグループ全体でメリットを出すことも可能です。

次に必ず必要となるのが、医療過誤に対応する医師賠償責任保険です。医師会に入会されている先生であれば、1事故1億円・保険期間中3億円（免責100万円）の補償が自動的に附帯されますが、最近では非入会のまま開業される先生も増えており、その場合には一般の医師賠償責任保険に加入する必要があります。ただこの医師賠償責任保険も医師会非入会の先生向けの団体も幾つかありますので、これらを利用すれば割引された保険料で加入することも可能です。

あと火災保険も、当然ながら必ず必要な保険の一つです。医療機関における火災リスクは、医療機器の電気系トラブルが原因で発火することが大きな要因ですが、火災以外にも水災や風災・地震といった災害リスクと破損リスクに備えられるタイプの火災保険をセットしておくべきです。もちろん診療所を建設して開業するケースと、テナントで開業するケース、テナントも戸建てかビルか？などによって想定されるリスクが変わってきます。さらには医療機器がリースなのか購入なのか？　保守メンテナンス契約がどうなっているか？など細部を確認して、必要に応じて破損・故障に対応できるタイプの保険の手当を検討する必要があります。

その他、検討すべきリスクとしては、
○災害やインフラ停止等により診療ができない場合の利益対策
○医療施設内での事故
○個人情報漏洩
○スタッフの就業中や通勤途上の災害
○雇用トラブル
などが挙げられます。

これら事業上のリスクに対して、リスク移転ができる損害保険は各種ありますが、費用対効果を見ながら検討する必要があります。

> **事業リスクの補償**
>
> 院長の死亡リスク以外では、休業補償を必ず検討。借入金の返済や家賃等の固定費、スタッフ給与は所得補償保険で備える。所得補償保険は個人の場合は生命保険料控除の対象。医療法人＝契約者かつ保険金受取人の場合は損金処理可能。MS法人ではMS法人の役員に院長を加えることで契約が可能。
>
> 次に医療過誤に対応する医師賠償責任保険が必須。医師会に入会していれば1事故1億円の補償があるが、最近では非入会の先生も増えている。
>
> 火災保険は、水災や風災・地震といった災害リスクと、破損リスクへの備えも大切。

●開業3年目

開業してから3年が経過すると、ある程度収益も伸び始めている時期で、診療所経営にも慣れてこられ、資金的な余裕が出始める時期になります。この時期になると検討して頂きたい項目が増えてきます。

　「事業保障」と「家族保障」においては、保障重視商品から貯蓄性商品への変更です。特にお子様がいらっしゃるご家庭の場合には、将来の医学部入学に備えた学費積立と保障を兼ねて終身保険等の商品を活用しての積立も検討課題になります。特にご子息の教育資金については、後を継いで医学部・歯学部へ進学するかどうか分からない段階から、仮に進学した場合に困らないように資金計画は立てておくべきだと私は思います。もし進学しなかった場合には、その積立資金を老後資金に回しても良いですし、他の用途に使っても構わない訳ですから、少なくともご子息が医学部・歯学部を目指したいといった時のための準備は早い段階で必要になります。あと個人開業医において検討しておきたいのは、個人年金保険料控除と小規模企業共済の活用です。ある程度、収入が伸びておられるとそれに比例して所得税負担も増えてきますから、使える節税策は行っておくべきです。

　「事業リスクの補償」については、資金的な余裕が出てきて財務状況が良くなってくれば、リスクを移転ではなく保有することも可能になります。さらには資金的に余裕がなく移転ができずにやむを得ず保有していたリスクに対しても移転を検討する余地がありますので、このタイミングで全体像を見て損害保険商品のポートフォリオを再構築する必要があるでしょう。

　この頃になると、一気に収益が伸びているクリニックもあるため、税対策としての医療法人化やＭＳ法人設立などの検討を行う場合もあります。医療法人化やＭＳ法人設立となると、法人契約による生命保険活用も視野に入ってきます。

> 資金的な余裕が出てきたら、「事業保障」と「家族保障」では、保障重視から貯蓄性商品への変更を検討。子どもがいる場合、終身保険等を活用し教育資金を準備。仮に進学しない場合も老後資金に回せるので早めに

●医療法人化

　医療法人化すると、個人時代の生命保険について①法人契約へ契約者変更、②個人のままで継続、③最低限に必要なものだけ残すか減額をして継続、④解約、のいずれかを検討することになります。特に医療法人の場合には、前述の通り利益処分としての配当ができませんから、内部留保が貯まりやすくなりますので、生命保険を使った退職金積立を兼ねた保障確保は要検討課題です。

　ただ 2019 年 7 月 8 日以降は、以前のような課税繰延効果が得られにくくなりましたが、一部商品を活用すればそれでも課税繰延効果は多少期待ができますので、それら商品の活用と単純に返戻率が高い運用商品の活用の両面で検討すべきでしょう。

●開業医向け保険提案におけるポイント

次に開業医への保険提案におけるポイントを幾つかご説明します。

●保険でしかできないこと

保険を活用したリスクマネジメントのポイントは「保険でしかできないこと」に着目することです。前述の通り保険は、リスクファイナンスにおける「移転」ですから、究極は財務的な裏付けがあれば生命保険・損害保険を活用する必要はありません。ですが賠償責任保険などは、廉価な保険料で高額な賠償事故の損失補償ができるので非常にメリットがあります。あとは解約返戻金のない生命保険も、廉価な保険料で高額な保障を確保することができます。

これは開業医への提案に限ったことではありませんが、保険でしかできないことを考えることがまずは基本になります。その上で、発生頻度や発生時の損失の大きさを踏まえて、地震補償や利益補償などを検討すべきでしょうし、保障を確保しながら計画的に資金積立ができる生命保険の活用などを検討することになります。

有事の際に自由に使える資金がどれだけストックされているか？　これがリスクマネジメントの基本であると考えています。この資金をどこでどうやって貯めるのか？　この観点で考えますと、法人税基本通達の改正後の現時点においても、生命保険提案の余地は十分にあると思います。特に医療法人においては、目先の損金算入割合よりも、単純返戻率をいかに高めるか？です。できるだけ早くに 100％以上の返戻率が確保できる保険商品であれば、全額資産計上であっても価値はあります。

●逆養老や契約者名義変更プランは医療法違反

第3章「保険営業として知っておくべき医療法人制度」でも説明しましたが、医療法人は配当が禁止されており、配当に準ずる行為も禁止されています。養老保険を使ったいわゆる「逆養老」「逆ハーフタックスプラン」「リバースプラン」は現在、新契約で取扱いができる保険会社はありませんが、契約成立後に受取人変更を行うことで、「逆養老形態」にすることは可能です。このプランについて簡単に説明をすると、契約形態は、

　　　　契約者＝医療法人
　　　　被保険者＝理事長や理事など
　　　　死亡保険金受取人＝医療法人
　　　　満期保険金受取人＝被保険者

とすることで、支払保険料の1/2が死亡保険料に対する「損金」として計上でき、残り1/2を満期保険金の原資として、満期保険金受取人に対する経済的利益の供与となりますので、「給与」「貸付金」「役員借入金返済」のいずれかの処理となります。

　ただ法人で支払った保険料の 1/2 を損金計上しておきながら、満期保険金は全額を個人が受け取りますので、満期保険金受取人に対する利益供与となり、配当類似行為に該当します。

　※満期保険金受取人は、満期時に一時所得として申告が必要になりますが、平成 24 年 1 月 13 日の最高裁判決により、一時所得の計算において法人が損金計上した部分は控除できないことが確定しています。

　次に低解約返戻金型保険を活用した契約者変更プランですが、これも逆養老と同様に配当類似行為となります。これについては第 4 章「第七次改正医療法と認定医療法人制度」で説明をした通り、1 関係事業者との取引により特別損失が 1,000 万円以上となる場合には、事業報告書への記載ルールがあるために、より発覚しやすくなりました。さらに今回の法人税基本通達の改正により、資産計上割合が多くなりましたので、事業報告書へ記載しなければならない可能性はさらに高まりました。

　ですからこれらのプランについては、医療法人においては行うべきではありませんし、やむを得ない事情でこれらのプランを導入せざるを得ない場合には、相当の覚悟と注意をもって行うべきです。

> ■参考■逆養老裁判、控除は保険料の 2 分の 1 のみと最高裁判決
>
> 　上述の最高裁では、法人が契約した逆養老の保険料全額が、経営者ら個人が受け取った満期保険金の一時所得金額を算出するうえで必要経費として控除できるか（34 条 2 項に規定する「その収入を得るために支出した金額」に該当するか否か）が争点となりました。
>
> 　原告側は保険料の全額が一時所得を算出する際の必要経費に当たると主張し、地裁と高裁はこの主張を認めましたが、最高裁の判決では、所得税法 34 条 2 項は、一時所得に係る収入を得た個人の担税力に応じた課税を図る趣旨のものであり、一時所得に係る支出が同法 34 条 2 項にいう「その収入を得るために支出した金額」に該当するためには、それが当該収入を得た個人において自ら負担して支出したものといえることを要するとし、給与分（貸付金として処理）のみ必要経費として算入できるとしました。また、会社での損金処理と経営者の総収入金額からの控除と両方を認めるのも不合理であるとも指摘しています。満期保険金等の総額は 43 億円、平成 17 年 3 月に更正処分を受けた後、約 7 年間にわたって争っていました。

●養老保険を使ったハーフタックスプランについて

　今回の法人税基本通達の改定により、定期保険等を使った法人での課税繰延効果がなくなったことを踏まえて、従来通り 1/2 損金処理が可能な養老保険を使ったハーフタックスプランが注目を浴びているようですが、本プランも提案・導入については慎重な検討が必要です。

　詳細は拙書「令和時代の法人保険販売—法人税基本通達の改訂とその対応策—」（保険社）に記述をしましたので、そちらを参照して頂きたいのですが、根本的な問題は課税繰延目的で本プランを導入するリスクです。

　このリスクは 2 点あり、1 つ目のリスクは退職金規程や福利厚生規程の制定により、事業上のリスクが増大する点です。これら規定を定めることにより、スタッフに対する退職金給付債

務を負うことになります。さらに 2 つ目のリスクとしては、法人税基本通達 9-3-4(3)に定める「損金算入要件」です。国税不服審判所の裁決事例を見て頂くと本プランの否決事例が数多く紹介されています。一部否決事例をご紹介します。

■裁決事例

・広島支部，裁決番号 平 160027，平成 17 年 4 月 26 日裁決，裁決結果：一部取消し
　争点番号 200904100，争点「9 事業所得/4 必要経費/10 福利厚生費」
○裁決要旨
　請求人は、従業員を被保険者とした養老保険及びガン保険については、将来の退職金のためである旨従業員に周知し、契約しており、所得税法第３７条第１項に規定する業務の遂行上生じた費用であることは明らかであるから、必要経費に算入されるべきであると主張する。しかしながら、貯蓄性の高い保険契約の保険料が、事業の遂行上必要なものと認められるためには、当該保険契約締結の目的、被保険者、事業主が負担する金額、支払われる保険の金額、保険金の使用目的等を総合的に考慮し、客観的に事業の遂行上必要であると認められることを要するというべきである。これを本件についてみると、①退職金受給資格のない者についても本件保険契約に加入させていること、②退職金は、各自の勤続年数及び基本給によって異なるべきものであるところ、本件保険契約は、勤続年数、基本給及び年齢にかかわらず一律になっていること、③本件保険契約の金額は、各従業員の基本給及び勤続年数から予測される退職金の額をはるかに超える金額であること、④請求人に給付される保険金あるいは解約返戻金から従業員への退職金を支払った残額は、請求人に帰属し、これを従業員のために使用するという取決めも存しないこと、⑤福利厚生目的で加入した契約であれば当然に従業員に周知されるべき本件保険契約の内容がほとんど周知されていないことを総合勘案すれば、本件保険契約の保険料が福利厚生費として必要経費に該当すると認めることはできない。（平 17.4.26 広裁（所・諸）平 16-27）

・広島支部，裁決番号 平 220021，平成 23 年 3 月 23 日裁決，裁決結果：棄却
　争点番号 200904100，争点「9 事業所得/4 必要経費/10 福利厚生費」
○裁決要旨
　請求人は、①従業員を被保険者とする本件各養老保険契約及び本件各がん保険契約（本件各保険契約）は、それぞれ法人税基本通達９－３－４《養老保険に係る保険料》及びがん保険契約に係る法令解釈通達（平成 13 年 8 月 10 日付課審 4－100）が準用され、本件各養老保険契約に係る保険料の額のうち 2 分の 1 相当額及び本件各がん保険契約に係る保険料の全額を必要経費に算入することができる旨、②本件各保険契約は、従業員の退職金又は死亡弔慰金の補充、拡充という福利厚生の目的で締結されたものであり、その保険料は、事業の遂行上必要な費用であるから必要経費に算入することができる旨主張する。しかしながら、上記①については、個人の支出に関する取扱いは、家事関連費という概念がないなどの法人の支出に関する取扱いとは異なるのであり、法人税に係る通達及び取扱いは、所得税において準用されるものではなく、必要経費と認められるためには、それが事業との直接の関連を持ち、事業の遂行上客観的一般的に通常必

要な費用であることが必要である。また、上記②については、本件各保険契約に係る保険金等が従業員の退職後の原資とされなかったなどの事実関係の下では、請求人が、本件各養老保険契約に基づいて支払われた保険料の額の２分の１に相当する額及び本件各がん保険契約に基づいて支払われた保険料の全額を必要経費に算入して事業所得の金額を計算することを図るとともに、保険料の名目で資金を積み立てることを企図して本件各保険契約を締結したものと認められるのであり、本件各保険契約に係る保険料の支払が事業と直接の関連を持ち、事業の遂行上客観的一般的に通常必要であるということはできない。以上からすれば、本件各保険契約に係る保険料の額は事業所得の金額の計算上必要経費に算入できないから、この点に関する請求人の主張には理由がない。(平23.3.23　広裁（所）平 22-21)

・名古屋支部，裁決番号　平 260044，平成 27 年 6 月 19 日裁決，裁決結果：棄却
　争点番号　202303026，争点「23 源泉徴収/3 給与所得の源泉徴収/2 支払金額の存否（役員）/6 その他の経済的利益」
○裁決要旨
　請求人は、同人が契約者として締結した、理事長等を被保険者とする養老保険契約（本件各保険契約）の死亡保険金について、従業員を被保険者とする保険契約の死亡保険金に比して多額であるが、格差が存する理由として、理事長等が病院の経営に生涯責任を持ち、請求人の借入金の保証人になっているため、所得税基本通達 36－31《使用者契約の養老保険に係る経済的利益》（本件通達）の(注)２の(1)に定める「保険加入の対象とする役員又は使用人について、加入資格の有無、保険金額等に格差が設けられている場合」に該当し、本件通達の(3)ただし書に定める「役員…のみを被保険者としている場合」に該当しないこととなるため、本件各保険契約に基づき請求人が支払う保険料（本件各保険料）の２分の１に相当する金額は理事長等に対する給与等には該当しない旨主張する。しかしながら、理事長等は従業員とは質的に異なる重い責任を負っているということができるものの、本件通達の趣旨や「職種、年齢、勤続年数等」という列挙事由に照らせば、他に特別の事情のない限り、福利厚生を目的として、死亡保険金に大きな格差を設けることの合理的な根拠にはならないというべきである。さらに、本件各契約は、請求人の福利厚生規定に定めたりすることなく理事長等の判断だけで締結されていることからすれば、理事長等は自らが本件各保険契約による経済的利益を受ける目的で締結したものと評価せざるを得ず、本件各保険料の死亡保険金に係る部分には、もはや一種の福利厚生費としての性格が欠如していると言え、本件通達の(注)２の(1)に定める「職種、年齢、勤続年数等に応ずる合理的な基準により、普遍的に設けられた格差であると認められるとき」には該当しないというべきであり、本件通達の(3)ただし書に定める「役員…のみを被保険者としている場合」に該当すると評価できるから、本件各保険料の２分の１に相当する金額は理事長等に対する給与等に該当する。(平 27.6.19 名裁（諸）平 26-44)

　これらの裁決事例から分かることは、養老保険を使ったハーフタックスプランは、あくまでも福利厚生制度の一部として導入すべきであり、課税繰延効果を狙って導入すると歪みが生じるので否認リスクが高まるという点です。この点はくれぐれもご注意下さい。

●定期的な見直しを

　生命保険・損害保険ともに言えることですが、一度契約したらそのまま更改・放置ではなく、定期的に訪問をして状況変化を確認する必要があります。収益状況や規模・医療サービス等の変化を確認し、状況に応じて見直しをする必要があります。

　生命保険分野で言えば、例えば喫煙していた先生が禁煙をしたり、太っていた先生がダイエットに成功をして痩せていたりすることで割引適用となり、保険料が安くなるケースもあります。あとは収益が伸びて保険料余力が生まれたために、積立性の保険加入の機運が高まっているケースなどがあります。損害保険の場合は、少なくとも年に1回は更改時に訪問することで事業内容や収益状況の変化などを確認し、状況に応じた保険活用を提案すべきです。

　これらのことを踏まえますと、生命保険がメインの保険営業パーソンで損害保険が扱える場合には、定期訪問ツールとして損保契約もお預かりしておけば、最低年1回は訪問するネタができますので、自動車保険でも火災保険でもなんでも結構ですから、損保契約も同時に扱っておくのが良いでしょう。

●参考にして頂きたい失敗事例

　最後に私自身が開業医との対応で失敗した事例をご紹介します。前著「ここから始めるドクターマーケット入門」でもご紹介をしましたが、その内容と合わせて最新の（笑）失敗事例もご紹介します。皆様の参考にして頂けると思い、ご紹介します。

■医師のプライドを傷つけてしまった事例

　10年以上前ですが、当時アプローチをしていた歯科医師から『一度加入している保険の分析をしてほしい』というありがたいご依頼を頂きました。そこで、契約されている保険証券のコピーをお預かりし、歯科医院の経営状況や資産の状況などをヒアリングいたしました。

　分析をしたところ、歯科医院の収入はそれほど多くなく、経営状況は厳しいものでした。それなのに、大型の終身保険を契約されており、月の保険料は10万円近くになっていました。さらに住宅ローンや事業用の借入金返済もあるので、私はあきらかにこの保険が重荷になっているように感じました。

　そのため、この保険を払済終身にして、掛捨ての保険で保障を確保するプランを作成して、分析結果の報告と共に掛け替えの提案を行いました。

　始めはしっかりと聞いて頂いていたのですが、この終身保険の掛け替えを勧める度にどんどん顔色が変わり始めて、最後には真っ赤な顔をして激怒されました。

　お怒りになられたのは、この医師は某生保のプランナーとしっかりと打ち合わせをして納得し、これならと自信を持って契約したのに、この終身保険を私が否定をしたことに対して、ご自身を否定されたような感覚を持たれたようです。

　可処分所得の20%近くを払込期間の長い終身保険に支払うことは、生活資金や教育資金・借入金を考えると得策とは思えずにそのような提案をしたのですが、医師の保険に対する想いを確認せずに組み立てたことや、医師のプライドを傷つけるようなプレゼンをしたことを深く反省しました。

　私の組み立てたプランは、決して悪くはなかったと今でも思います。ただアプローチ方法がまずかったのです。ヒアリングが経営状況やライフイベントなどの表面だけで終わっていました。さらにはそのような想いがある契約であれば、もっと違うプレゼン方法があったはずと、今思い出しても冷や汗が出ます。

■契約時の診査で失敗した事例

　とある開業医に保険提案をしたところ、ようやく受け入れて頂くことができて、これから契約手続きという段階になった時のことです。

　開業医の契約手続きで一番神経を使うのは、診査医のセッティングです。開業医が取れる時間帯に診査医をセッティングするのはなかなか困難で、特に往診となるとさらに困難になります。

　この開業医も非常に忙しい医師で、往診を希望されたので、希望日時に往診できる診査医を探したところ、なかなか見つからず、ようやく往診できる嘱託医を見つけることができました。

　そして、診査当日に嘱託医を契約して頂く開業医のところへお連れしたところ、なんとこの嘱託医と開業医は面識があり、非常に気まずい雰囲気となりました。

　その場は何とか診査をすることができたのですが、診査直後にこの開業医からは「なんでアイツを連れて来たんだ！　アイツが来るのなら診査は受けなかった」とお叱りを頂くことになりました。

　契約して頂く開業医は、嘱託医のことをあまり心良く思っておられず、医師会の会合などでも全く話もしない仲だったのです。

　事前に連れて行く診査医のことを告げなかったことを丁重にお詫びして、何とか契約をして頂けましたが、こんなこともあるのかと胃の痛い経験をしました。

　その後は、保険会社の社医であれば問題ありませんが、嘱託医を診査医として連れて行く場合には、事前に「○○医院の○○医師を診査医としてお連れしますが大丈夫でしょうか？」と確認するようにしています。

■提案した契約をすべて持っていかれた事例

　これは第6章で少々書きました事例ですが、もう少し詳細に書きます。

＜概要＞
・整形外科クリニック　医療法人
・理事長　60歳代男性
・年商　約4億円

　某県某市にある某整形外科（経過措置型医療法人）へ初めてお伺いをしたのが2017年の5月でした。きっかけは、懇意にしている保険代理店からの応援要請を受けてでした。
　この代理店さんも契約の取扱いはなく、新規にアプローチをしている最中に理事長からのご要望で、「ピークを迎えつつある生命保険の対策を教えてほしい」とのニーズを引き出したとのことでした。ただこの代理店さんでは妙案が浮かばずに援護してほしいとのご依頼を頂き、お伺いすることになりました。
　理事長の年齢は60歳前半、事前に県庁へ行って事業報告書のコピーを入手していましたので、概略の決算情報は把握していました。それによると年商は約4億円。利益は3,000万円前後という規模感で、決算月は12月でした。
　診療が終わった後の20時のアポイントで初めて理事長とお会いしました。第一印象は「癖が強い理事長」という感じであまり良い印象を持ちませんでした。
　ですが、そんなことは気にせず自己紹介等を簡単にした上で、改正医療法の話や事業報告書の記載ルールの変更などの情報提供をしたところ、初めて聞いたお話だったようでかなり食いついてこられて突っ込んだ質問も数多く頂きました。
　その上で、「保険はかなり加入しているが、どうすれば良いか教えてほしい」と言われ、加入されている生命保険一覧表を見せて頂きました。
　すると、医療法人・ＭＳ法人・個人の合計で、年間保険料は約1億円。中にはＭＨＰ（名義変更プラン）やＧＨＴ（逆ハーフタックスプラン）と思われる契約も多数混在しており、相当保険を活用しておられることが分かる内容でした。
　そして確かに解約返戻率のピークが到来しつつあると思われる契約もありました。契約当初は理事長の勇退退職金準備を想定していたのでしょうが、退職時期がかなりズレてしまったために、これらの保険をどうしたものか？と思案をされていたらしく、全体像を把握した上で次回に対策を提案させて頂くことをお話してご了承を頂きました。その場で保険証券や設計書、決算資料のコピーをお預かりして約2時間半の初回面談を終えました。
　後日、数十枚の保険証券を分析し、全契約における各年度の解約返戻金と返戻率を把握した上で、対策のご提案にお伺いしたのは2か月後の7月中旬でした。
　私が提案した内容は次の通りです。

◎医療法人契約のうちピークを迎えつつある契約の対策として逓増定期を使った名義変更プランの追加を行い、今後発生すると予測されるご子息の医学部進学への教育資金に充当させて医

業承継を完成させる
◎MS 法人に残っている 5,000 万円近い役員借入金対策として、養老保険を使った逆ハーフタックスプラン
◎MS 法人の代表である奥様の役員退職金積立目的の長期平準定期保険

　3 つのプラン合計で、年間保険料は約 5,000 万円でした。保険料は高額ですが、理事長の反応は悪くなく、それぞれのプランについて一通りの説明と質疑応答をした後に、「実は…」と言って理事長が自身の持病の話をし始めました。

　確かに保険加入においては結構微妙な持病であったので、できれば事前に提案した保険会社の査定をして引受可否を確定させてから最終の意思決定をされることを説明して了承を頂き、理事長と奥様の人間ドック結果表をコピーしてお預かりしました。

　後日、その結果表コピーを元に提案した保険会社の担当者と引受可否を打ち合わせし、特別条件付きになる可能性が高いが、その条件がどの程度になるかは告知書を取り付けてからの判断になることを確認。

　なお奥様は無条件の引受ができる可能性が高いことも同時に確認をした上で、理事長へ連絡をして、状況の説明と告知書の取付を行うために 9 月上旬にお伺いをしました。

　事情の説明を行ったところ、やはりご自身の健康に関して無条件での引受が厳しいことを聞かされるのは良い気分はされずネガティブな反応でした…。

　ただこればかりはやってみないとわからないために、告知書の記入をお願いしたところ、12 月の決算までまだ少しあるので最終的な今期の損益見込みを見定めたいことと告知の有効期限を考えると 11 月くらいに記入をしたいとのことでしたので、その時は了承をして 3 回目の面談を終えました。

　そして 10 月中旬くらいに理事長へ連絡をしてアポを依頼すると、「今は忙しいのでちょっと待ってほしい」と言われ、なかなかアポが取れない状況が続きました。

　そうこうしているうちに 11 月も中旬になり、そろそろ対応しないと間に合わない時期となったある日、ご提案をしていた各社で再設計をしたところ、既契約通算の保険金額がオーバーとの表示が出て設計書が作成できないことが判明。

　「もしかして…」と嫌な予感がしたので色々とパターンを変えて設計をしてみたところ、7 月に設計をした時点から、私が提案をした保険金額にほぼ近い金額の契約が追加されていることが判明。この時点で「やられた！」との確証を得ました。

　私が提案したプランをそっくりそのまま、元々付き合いのあった代理店で契約をされたものと思われます。そのことを、理事長へ電話をして確認をしようとすると「忙しいから掛け直してくれ」と言われ、何度かクリニックへ電話をすると最後には、取り次いでもらえない状況にまでなりました…。

　この状況に多少なりとも腹立たしさが込み上げてきましたが、冷静に考えると反省すべき点が数多くあることに気がつきました。

○第一印象の違和感を無視したこと
　そもそも初めてお会いした時の私が抱いた理事長への印象はよくありませんでした。
　言葉では説明ができませんが、直感的に長く付き合いができるドクターとは認識をしなかったにもかかわらず、それを無視してアプローチをし続けた点は私のミスでした。

○信頼関係が得られないうちにすべての手の内を明かしてしまったこと
　提案をした際やドックの結果表に基づいた打ち合わせをした際にかなり突っ込んだ質問を受け、そのすべてに丁寧な回答を行いました。
　その時は、ドクターの性格上、細かく慎重だからこれだけ突っ込んだ質問をしていると思っていましたが、思い返せば私から引き出した情報を契約をする代理店に伝えるための質問であったと考えられます。そのことに気が付かずにペラペラと余計なことまで話をし過ぎた点は失敗でした。

　言いたいことはまだまだありますが、同じような失敗を少し前に別の医療法人でも経験をしているだけに、自分としては非常に反省させられる事案でした…。

　まだまだセールスとしては未熟ですね。他山の石として頂きたく、私の恥ずかしい失敗事例を書かせて頂きました。

院長夫人の「クリニック経営は今日も大変!!」

「いまだに多い"古い開業医"のイメージ引きずる営業パーソン」

[奥田]

今回は、医療機関側からみた保険営業パーソンについて語って頂きたいと思います。

[永野]

保険営業パーソンの多くは開業医に対する独特なイメージを持っておられますね。開業医の家庭には子供がいるのが当然とか、子供に跡を必ず継がせるとか、代々続いた古い開業医のイメージを引きずっている感じの方が多いですよね。

[奥田]

そうでしょうかね…。

[永野]

いきなり営業に来た人に自分の家庭の事情は誰も話さないですよね？ 家庭の事情を話していない段階でいきなりいろいろなプランを提示されても、どれもしっくりこないんですよね。特に私は子供がいないのでしっくりこないんですよね。「子供がいらっしゃるでしょ？」「子供さんは医学部に行くでしょう？」「そうすると教育資金が要りますよね？」「だから貯めて運用しましょう」みたいなことを言い出す人が多いんですよね。

[奥田]

最近の開業医の先生は、どちらかと言うと無理に継がせるのではなくて、選択肢の一つとして子供が継ぎたい、医学部に行きたいといえば行かせるけどもそれがすべてではないという方が増えてきたように思います。

[永野]

そうですよね。仮に医師になったとしても勤務医がフィットする医師もいますし、開業医に向いている人もいますからね…。

[奥田]

そう考えますと普通の商売と同じですよね？ 子供が跡を継ぐか継がないか？ 会社員が向いている子供もいれば商売人が向いている子供もいるように…。

［永野］

　そうですよ。そう思うとよく知らない段階でフィットしないプランを持ってこられても困ります。よく知らないからフィットしたプランを持ってこれないのは分かるのですが、プロの保険営業パーソンやファイナンシャルプランナーは、すごく個別の事情を含んでカスタマイズしたプランニングを持ってきてくれると思っているので、いきなり「資産分散」や「資産運用」とか言われると残念な気持ちになります。

　特に保険は、夫と妻では捉え方が違うんですよね。まず保険料の支払い者が誰なのか？によっても違いますし、夫は保険がキライだが妻は保険に入ってほしいと思っているケースもあったりしますし、このあたりを細かくカスタマイズしてほしいという思いがありますね。でも、細かいカスタマイズをしてほしいと思っても、今日知り合った人に細かい事情は話したくないですよね（笑）、とりあえず細かい事情を話せる人になってほしいですよね。

［奥田］

　営業をしていて、お客様の込み入った個別事情をお聞かせ頂けた段階である程度の信頼を頂いたと私は認識をしているのですが、ここにたどり着くまでにみんな苦労しているんです（笑）。例えば、保険営業パーソンに対して、「この人なら話してもいい」と思う人と「この人には話したくない」という判断基準はどの辺りにありますか？

［永野］

　まず初回に勝手なプランを持ってきた人には絶対に話さない（笑）。

［奥田］

　なるほど（笑）。あとお伺いしたいのは、保険営業パーソンとの出会い方についてです。まず信頼のおける人からのご紹介で来た場合には、まずはお会いになりますよね。

［永野］

　そうですね。お会いしますね。

［奥田］

　次に飛び込み営業で来た場合ですが、飛び込みなのでもう会ってしまってますから、「帰れ」と言ってむげに追い返すのも難しいですよね。

［永野］

　そうですね。ひょっとするとこの営業パーソンも患者さんになってもらえる可能性があるわけですから、ひどい言葉を掛けて追い返すことはしないですね。

［奥田］

　そうですよね。次に電話での営業ですが、電話でアプローチされた保険営業とはお会いになられますか？

［永野］

　電話で営業されたことがないですね。

[奥田]

　あ、そうか。普通クリニックに電話営業するときは院長先生宛てに電話をしますから、奥様宛てに電話営業をする人はいないですよね。そもそもクリニックに奥様がいない場合もありますから。

[永野]

　うちの院長は診療時間中は忙しいから出ないですし、診療時間外は留守番電話になりますから出れないですからね。

[奥田]

　診療科目によっては違いますが、整形外科や耳鼻科は絶対に診療時間中はダメですよね。あとダイレクトメールとかFAXは届きますか？

[永野]

　保険営業のDMはほぼ見ないですね。あるとすれば医師協同組合からの案内くらいでしょうか、保険営業のFAXは全くないですね。

院長のマイブームを把握する

[奥田]

　そうですか、やはり保険営業パーソンと会うのは圧倒的に紹介か飛び込みですよね。飛び込み営業についてもう少しお聞きしたいと思います。第一印象についてお聞きしますが、見た目などの第一印象が悪いと丁重にお断りして帰ってもらうと思うのですが、イメージとすれば「NO」でなければとりあえず話を聞きましょう、という感じでしょうか？

[永野]

　はい、そうですね。ただ私は少し変わっているので、営業ができる相手かどうかを見るようにしています。例えば「近所に住んでいる」と聞くと絶対にむげにしないし、私の方から「うちのクリニックの特徴をお話ししてもいいですか？」で逆営業をかけますね（笑）。

[奥田]

　なるほど（笑）。営業の基本は相手の利益を優先すべきであって、相手に利益を取ってもらってからこちらの利益を考えるべきだと思うので、逆に営業を受けるというのは良いかもしれませんね。

[永野]

　私はあくまでも 50：50 の関係でいたいと思っているから、利益を生まないのなら人間的魅力でお付き合いをするかもしれないし、この人と付き合っていれば利益があるか、将来利益を生み出す可能性がある人ならお付き合いをしたいと思いますね。

[奥田]

　それで言いますと、開業医との出会い方の一つとして患者としてクリニックに行くのも有効で

すよね？患者目線でクリニックを見たり、スタッフの動きなどを観察したりできますし、診察室で院長とお会いできる訳ですから（笑）。診察を受けることによって診療報酬も得てもらえる訳ですから、話を聞いてもらうためのハードルは下がりますよね？

[永野]
　絶対に下がります。

[奥田]
　そう考えると変なアプローチよりも患者として行くのは有効ですね。

[永野]
　そうですね。例えば患者としてでなくても、圧倒的に情報を持っていると興味を持ちますよね。例えば「すごいエコーを置いておられますよね」とか言われると「ふ〜ん、よく知ってるね」って思います（笑）。

[奥田]
　相手のことを知ってるのは重要ですよね。見た瞬間に「これは〇〇ですよね」という指摘をすると、医療のことを知っているとなって見る目が変わりますよね？

[永野]
　院長の医療におけるマイブームを把握しておくというのはかなり有効だと思います。特に紹介で行く場合には、そのあたりを踏まえておくとものすごく効くと思います。例えば増患に興味があるのか、新しい機械を購入することに興味があるのか、新しい治療技術に興味があるのか？ですし、医療にあまり熱心でない先生なら、趣味などを把握していれば院長の心をつかめるでしょうね。

///

■巻末資料

モデル定款（厚生労働省「社団医療法人定款例（平成30年3月30日）」から抜粋）

社団医療法人の定款例	備　　　考
医療法人○○会定款 　　　第1章　名称及び事務所 第1条　本社団は、医療法人○○会と称する。 第2条　本社団は、事務所を○○県○○郡（市）○○町（村）○○番地に置く。	・事務所については、複数の事務所を有する場合は、すべてこれを記載し、かつ、主たる事務所を定めること。
第2章　目的及び事業 第3条　本社団は、病院（診療所、介護老人保健施設、介護医療院）を経営し、科学的でかつ適正な医療（及び要介護者に対する看護、医学的管理下の介護及び必要な医療等）を普及することを目的とする。	・病院、診療所、介護老人保健施設又は介護医療院のうち、開設する施設を掲げる。（以下、第4条、第5条、第27条第3項及び第28条第5項において同じ。） ・介護老人保健施設又は介護医療院のみを開設する医療法人については、「本社団は、介護老人保健施設（又は介護医療院）を経営し、要介護者に対する看護、医学的管理下の介護及び必要な医療等を普及することを目的とする。」とする。
第4条　本社団の開設する病院（診療所、介護老人保健施設、介護医療院）の名称及び開設場所は、次のとおりとする。 （1）○○病院　　　○○県○○郡（市）○○町（村） （2）○○診療所　○○県○○郡（市）○○町（村） （3）○○園　　　○○県○○郡（市）○○町（村） （4）○○介護医療院　○○県○○郡（市）○○町（村）	
2　本社団が○○市（町、村）から指定管理者として指定を受けて管理する病院（診療所、介護老人保健施設、介護医療院）の名称及び開設場所は、次のとおりとする。 （1）○○病院　　　○○県○○郡（市）○○町（村） （2）○○診療所　○○県○○郡（市）○○町（村） （3）○○園　　　○○県○○郡（市）○○町（村） （4）○○介護医療院　○○県○○郡（市）○○町（村）	・本項には、地方自治法（昭和22年法律第67号）に基づいて行う指定管理者として管理する病院（診療所、介護老人保健施設、介護医療院）の名称及び開設場所を掲げる。行わない場合には、掲げる必要はない。（以下、第27条第3項及び第28条第5項において同じ。）
第5条　本社団は、前条に掲げる病院（診療所、介護老人保健施設、介護医療院）を経営するほか、次の業務を行う。	・本条には、医療法（昭和23年法律第205号。以下「法」という。）第42条各号の規定に基づいて行う附

○○看護師養成所の経営 　　　第3章　資産及び会計 第6条　本社団の資産は次のとおりとする。 　(1) 設立当時の財産 　(2) 設立後寄附された金品 　(3) 事業に伴う収入 　(4) その他の収入 2　本社団の設立当時の財産目録は、主たる事務所において備え置くものとする。 第7条　本社団の資産のうち、次に掲げる財産を基本財産とする。 　(1) ・・・ 　(2) ・・・ 　(3) ・・・ 2　基本財産は処分し、又は担保に供してはならない。ただし、特別の理由のある場合には、理事会及び社員総会の議決を経て、処分し、又は担保に供することができる。 第8条　本社団の資産は、社員総会又は理事会で定めた方法によって、理事長が管理する。 第9条　資産のうち現金は、医業経営の実施のため確実な銀行又は信託会社に預け入れ若しくは信託し、又は国公債若しくは確実な有価証券に換え保管する。 第 10 条　本社団の収支予算は、毎会計年度開始前に理事会及び社員総会の議決を経て定める。 第 11 条　本社団の会計年度は、毎年4月1日に始まり翌年3月31日に終る。 第 12 条　本社団の決算については、事業報告書、財産目録、貸借対照表及び損益計算書（以下「事業報告書等」という。）を作成し、監事の監査、理事会の承認及び社員総会の承認を受けなければならない。 2　本社団は、事業報告書等、監事の監査報告書及び本社団の定款を事務所に備えて置き、社員又は債権者から請求があった場合には、正当な理由がある場合を除いて、これを閲覧に供しなければならない。 3　本社団は、毎会計年度終了後3月以内に、事業報告書等及び監事の監査報告書を○○県知事に届け出なければならない。	帯業務を掲げる。行わない場合には、掲げる必要はない。 ・不動産、運営基金等重要な資産は、基本財産とすることが望ましい。 ・任意に1年間を定めても差し支えない。（法第 53 条参照） ・2以上の都道府県の区域において病院、診療所、介護老人保健施設又は介護医療院を開設する医療法人については、主たる事務所の所在地の都道府県知事に届け出るも

	のとする。
第 13 条　決算の結果、剰余金を生じたとしても、配当してはならない。	
第4章　社員	
第 14 条　本社団の社員になろうとする者は、社員総会の承認を得なければならない。	
2　本社団は、社員名簿を備え置き、社員の変更があるごとに必要な変更を加えなければならない。	
第 15 条　社員は、次に掲げる理由によりその資格を失う。	
（1）除　名	
（2）死　亡	
（3）退　社	
2　社員であって、社員たる義務を履行せず本社団の定款に違反し又は品位を傷つける行為のあった者は、社員総会の議決を経て除名することができる。	
第 16 条　やむを得ない理由のあるときは、社員はその旨を理事長に届け出て、退社することができる。	・退社について社員総会の承認の議決を要することとしても差し支えない。
第5章　社員総会	
第 17 条　理事長は、定時社員総会を、毎年○回、○月に開催する。	・定時社員総会は、収支予算の決定と決算の決定のため年2回以上開催することが望ましい。
2　理事長は、必要があると認めるときは、いつでも臨時社員総会を招集することができる。	
3　理事長は、総社員の5分の1以上の社員から社員総会の目的である事項を示して臨時社員総会の招集を請求された場合には、その請求があった日から20日以内に、これを招集しなければならない。	・5分の1を下回る割合を定めることもできる。
4　社員総会の招集は、期日の少なくとも5日前までに、その社員総会の目的である事項、日時及び場所を記載し、理事長がこれに記名した書面で社員に通知しなければならない。	・招集の通知は、定款で定めた方法により行う。書面のほか電子的方法によることも可。
第 18 条　社員総会の議長は、社員の中から社員総会において選任する。	
第 19 条　次の事項は、社員総会の議決を経なければならない。	
（1）定款の変更	
（2）基本財産の設定及び処分（担保提供を含む。）	
（3）毎事業年度の事業計画の決定又は変更	

(4)　収支予算及び決算の決定又は変更
　　(5)　重要な資産の処分
　　(6)　借入金額の最高限度の決定
　　(7)　社員の入社及び除名
　　(8)　本社団の解散
　　(9)　他の医療法人との合併若しくは分割に係る
　　　　契約の締結又は分割計画の決定
２　その他重要な事項についても、社員総会の議決
　を経ることができる。
第 20 条　社員総会は、総社員の過半数の出席がな
　ければ、その議事を開き、決議することができな
　い。
２　社員総会の議事は、法令又はこの定款に別段の
　定めがある場合を除き、出席した社員の議決権の
　過半数で決し、可否同数のときは、議長の決する
　ところによる。
３　前項の場合において、議長は、社員として議決
　に加わることができない。
第 21 条　社員は、社員総会において各 1 個の議決
　権及び選挙権を有する。
第 22 条　社員総会においては、あらかじめ通知の
　あった事項のほかは議決することができない。た
　だし、急を要する場合はこの限りではない。
２　社員総会に出席することのできない社員は、あ
　らかじめ通知のあった事項についてのみ書面又
　は代理人をもって議決権及び選挙権を行使する
　ことができる。ただし、代理人は社員でなければ
　ならない。
３　代理人は、代理権を証する書面を議長に提出し
　なければならない。
第 23 条　社員総会の議決事項につき特別の利害関
　係を有する社員は、当該事項につきその議決権を
　行使できない。
第 24 条　社員総会の議事については、法令で定め
　るところにより、議事録を作成する。
第 25 条　社員総会の議事についての細則は、社員
　総会で定める。

　　　　　第 6 章　役員
第 26 条　本社団に、次の役員を置く。
　　(1)　理事　〇名以上〇名以内
　　　　　うち理事長 1 名
　　(2)　監事　〇名

・原則として、理事は 3 名以上置か なければならない。都道府県知事 の認可を受けた場合には、1 名又 は 2 名でも差し支えない。(法第 46 条の 5 第 1 項参照)なお、理事を

	1名又は2名置くこととした場合でも、社員は3名以上置くことが望ましい。
第 27 条　理事及び監事は、社員総会の決議によって選任する。 2　理事長は、理事会において、理事の中から選出する。 3　本社団が開設（指定管理者として管理する場合を含む。）する病院（診療所、介護老人保健施設、介護医療院）の管理者は、必ず理事に加えなければならない。	・病院、診療所、介護老人保健施設又は介護医療院を2以上開設する場合において、都道府県知事（2以上の都道府県の区域において病院、診療所、介護老人保健施設又は介護医療院を開設する医療法人については主たる事務所の所在地の都道府県知事）の認可を受けた場合は、管理者（指定管理者として管理する病院等の管理者を除く。）の一部を理事に加えないことができる。（法第46条の5第6項参照）
4　前項の理事は、管理者の職を退いたときは、理事の職を失うものとする。 5　理事又は監事のうち、その定数の5分の1を超える者が欠けたときは、1月以内に補充しなければならない。 第 28 条　理事長は本社団を代表し、本社団の業務に関する一切の裁判上又は裁判外の行為をする権限を有する。 2　理事長は、本社団の業務を執行し、 （例1）3箇月に1回以上、自己の職務の執行の状況を理事会に報告しなければならない。 （例2）毎事業年度に4箇月を超える間隔で2回以上、自己の職務の執行の状況を理事会に報告しなければならない。 3　理事長に事故があるときは、理事長があらかじめ定めた順位に従い、理事がその職務を行う。 4　監事は、次の職務を行う。 　(1)　本社団の業務を監査すること。 　(2)　本社団の財産の状況を監査すること。 　(3)　本社団の業務又は財産の状況について、毎会計年度、監査報告書を作成し、当該会計年度終了後3月以内に社員総会及び理事会に提出すること。 　(4)　第1号又は第2号による監査の結果、本社団	・理事の職への再任を妨げるものではない。 ・この報告は、現実に開催された理事会において行わなければならず、報告を省略することはできない。

の業務又は財産に関し不正の行為又は法令若しくはこの定款に違反する重大な事実があることを発見したときは、これを〇〇県知事、社員総会又は理事会に報告すること。

(5) 第4号の報告をするために必要があるときは、社員総会を招集すること。

(6) 理事が社員総会に提出しようとする議案、書類、その他の資料を調査し、法令若しくはこの定款に違反し、又は著しく不当な事項があると認めるときは、その調査の結果を社員総会に報告すること。

5　監事は、本社団の理事又は職員（本社団の開設する病院、診療所、介護老人保健施設又は介護医療院（指定管理者として管理する病院等を含む。）の管理者その他の職員を含む。）を兼ねてはならない。

第29条　役員の任期は2年とする。ただし、再任を妨げない。

2　補欠により就任した役員の任期は、前任者の残任期間とする。

3　役員は、第26条に定める員数が欠けた場合には、任期の満了又は辞任により退任した後も、新たに選任された者が就任するまで、なお役員としての権利義務を有する。

第30条　役員は、社員総会の決議によって解任することができる。ただし、監事の解任の決議は、出席した社員の議決権の3分の2以上の賛成がなければ、決議することができない。

第31条　役員の報酬等は、

（例1）社員総会の決議によって別に定めるところにより支給する。

（例2）理事及び監事について、それぞれの総額が、〇〇円以下及び〇〇円以下で支給する。

（例3）理事長〇円、理事〇円、監事〇円とする。

・3分の2を上回る割合を定めることもできる。

・役員の報酬等について、定款にその額を定めていないときは、社員総会の決議によって定める必要がある。

・定款又は社員総会の決議において理事の報酬等の「総額」を定める場合、各理事の報酬等の額はその額の範囲内で理事会の決議によって定めることも差し支えない。ただし、監事が2人以上あるときに監事の報酬等の「総額」を定める場合は、各監事の報酬等は、その額の範囲内で監事の協議によって定める。また、「総額」を上回らなければ、再度、社員総会で決議することは必ずしも必要ではない。

第32条　理事は、次に掲げる取引をしようとする場合には、理事会において、その取引について重要な事実を開示し、その承認を受けなければならない。 　(1)自己又は第三者のためにする本社団の事業の部類に属する取引 　(2)自己又は第三者のためにする本社団との取引 　(3)本社団がその理事の債務を保証することその他その理事以外の者との間における本社団とその理事との利益が相反する取引 2　前項の取引をした理事は、その取引後、遅滞なく、その取引についての重要な事実を理事会に報告しなければならない。	
第33条　本社団は、役員が任務を怠ったことによる損害賠償責任を、法令に規定する額を限度として、理事会の決議により免除することができる。 2　本社団は、役員との間で、任務を怠ったことによる損害賠償責任について、当該役員が職務を行うにつき善意でかつ重大な過失がないときに、損害賠償責任の限定契約を締結することができる。ただし、その責任の限度額は、〇円以上で本社団があらかじめ定めた額と法令で定める最低責任限度額とのいずれか高い額とする。	・本条を規定するか否かは任意。
第7章　理事会 第34条　理事会は、すべての理事をもって構成する。 第35条　理事会は、この定款に別に定めるもののほか、次の職務を行う。 　(1)本社団の業務執行の決定 　(2)理事の職務の執行の監督 　(3)理事長の選出及び解職 　(4)重要な資産の処分及び譲受けの決定 　(5)多額の借財の決定 　(6)重要な役割を担う職員の選任及び解任の決定 　(7)従たる事務所その他の重要な組織の設置、変更及び廃止の決定	
第36条　理事会は、 （例1）各理事が招集する。 （例2）理事長（又は理事会で定める理事）が招集する。この場合、理事長（又は理事会で定める理事）が欠けたとき又は理事長（理事会で定める理事）に事故があるときは、各理事が理事会を招集する。 2　理事長（又は理事会で定める理事、又は各理事）	・原則、各理事が理事会を招集するが、理事会を招集する理事を定款又は理事会で定めることができる。

は、必要があると認めるときは、いつでも理事会を招集することができる。

3　理事会の招集は、期日の1週間前までに、各理事及び各監事に対して理事会を招集する旨の通知を発しなければならない。

・1週間を下回る期間を定めることもできる。

4　前項にかかわらず、理事会は、理事及び監事の全員の同意があるときは、招集の手続を経ることなく開催できる。

第37条　理事会の議長は、理事長とする。

第38条　理事会の決議は、法令又はこの定款に別段の定めがある場合を除き、議決事項について特別の利害関係を有する理事を除く理事の過半数が出席し、その過半数をもって行う。

・過半数を上回る割合を定めることもできる。
・本項を規定するか否かは任意。

2　前項の規定にかかわらず、理事が理事会の決議の目的である事項について提案した場合において、その提案について特別の利害関係を有する理事を除く理事全員が書面又は電磁的記録により同意の意思表示をしたときは、理事会の決議があったものとみなす。ただし、監事がその提案について異議を述べたときはこの限りでない。

第39条　理事会の議事については、法令で定めるところにより、議事録を作成する。

2　理事会に出席した理事及び監事は、前項の議事録に署名し、又は記名押印する。

・署名し、又は記名押印する者を、理事会に出席した理事長及び監事とすることも可。

第40条　理事会の議事についての細則は、理事会で定める。

第8章　定款の変更

第41条　この定款は、社員総会の議決を経、かつ、○○県知事の認可を得なければ変更することができない。

第9章　解散、合併及び分割

第42条　本社団は、次の事由によって解散する。
　(1)　目的たる業務の成功の不能
　(2)　社員総会の決議
　(3)　社員の欠亡
　(4)　他の医療法人との合併
　(5)　破産手続開始の決定
　(6)　設立認可の取消し

2　本社団は、総社員の4分の3以上の賛成がなければ、前項第2号の社員総会の決議をすることができない。

3 　第1項第1号又は第2号の事由により解散する場合は、○○県知事の認可を受けなければならない。

第43条　本社団が解散したときは、合併及び破産手続開始の決定による解散の場合を除き、理事がその清算人となる。ただし、社員総会の議決によって理事以外の者を選任することができる。

2 　清算人は、社員の欠亡による事由によって本社団が解散した場合には、○○県知事にその旨を届け出なければならない。

3 　清算人は、次の各号に掲げる職務を行い、又、当該職務を行うために必要な一切の行為をすることができる。

(1)　現務の結了

(2)　債権の取立て及び債務の弁済

(3)　残余財産の引渡し

第44条　本社団が解散した場合の残余財産は、合併及び破産手続開始の決定による解散の場合を除き、次の者から選定して帰属させるものとする。

(1)　国

(2)　地方公共団体

(3)　医療法第31条に定める公的医療機関の開設者

(4)　都道府県医師会又は郡市区医師会（一般社団法人又は一般財団法人に限る。）

(5)　財団たる医療法人又は社団たる医療法人であって持分の定めのないもの

第45条　本社団は、総社員の同意があるときは、○○県知事の認可を得て、他の社団たる医療法人又は財団たる医療法人と合併することができる。

第46条　本社団は、総社員の同意があるときは、○○県知事の認可を得て、分割することができる。

　　　　第10章　雑則

第47条　本社団の公告は、

（例1）官報に掲載する方法

（例2）○○新聞に掲載する方法

（例3）電子公告（ホームページ）

によって行う。

（例3の場合）

2 　事故その他やむを得ない事由によって前項の電子公告をすることができない場合は、官報（又

は○○新聞）に掲載する方法によって行う。 第48条　この定款の施行細則は、理事会及び社員 　　総会の議決を経て定める。 　　　　附　則 本社団設立当初の役員は、次のとおりとする。 　　理　事　長　　○　　○　　○　　○ 　　理　　　事　　○　　○　　○　　○ 　　　　同　　　　○　　○　　○　　○ 　　　　同　　　　○　　○　　○　　○ 　　　　同　　　　○　　○　　○　　○ 　　　　同　　　　○　　○　　○　　○ 　　　　同　　　　○　　○　　○　　○ 　　監　　　事　　○　　○　　○　　○ 　　　　同　　　　○　　○　　○　　○	・法第44条第4項参照。

医療法人運営管理指導要綱（厚生労働省）

項　　　目	運営管理指導要綱	備　　　　　考
Ⅰ　組織運営 1　定款・寄附 　　行為	1　モデル定款・寄附行為に準拠していること。 2　定款又は寄附行為の変更が所要の手続きを経て行われていること。	・平成 19 年 3 月 30 日医政発第0330049 号医政局長通知 ・医療法第 54 条の 9 （注）定款又は寄附行為の変更に関し、届出で良いとされる事項について、届出をしない場合又は虚偽の届出をした場合は、20 万円以下の過料に処せられること。（医療法第 76 条第 5 号）
2　役員 　(1) 定数・現 　　　員	1　役員名簿の記載及び整理が適正に行われていること。	・役員名簿の記載事項は次のとおり 　①　役職名 　②　氏　名 　③　生年月日（年齢） 　④　性　別 　⑤　住　所 　⑥　職　業 　⑦　現就任年月日・任期
	2　役員に変更があった場合は、その都度、都道府県知事に届出がなされていること。	・医療法施行令第 5 条の 13 ・添付書類 　①　就任承諾書 　②　履歴書 ・適正に選任されていることを確認することを要する。
	3　役員として理事 3 人以上、監事 1 人以上を置いていること。 　　また、3 人未満の理事を置く場合は都道府県知事の認可を得ていること。	・医療法第 46 条の 5 第 1 項 ・理事 3 人未満の都道府県知事の認可は、医師、歯科医師が常時 1 人又は 2 人勤務する診療所を一か所のみ開設する医療法人に限る。 　　その場合であっても、可能な限り、理事 2 人を置くことが望ましい。
	4　役員の定数は、事業規模等の実態に即したものであること。 5　役員の欠員が生じていないこと。	 ・医療法第 46 条の 5 の 3 第 3 項においては、理事又は監事のうち、その定数の 5 分の 1 を超える者が欠けた場合は、1 月以内に補充しなければならないとされているが、1 名でも欠員が生じた場合には、速やかに補充することが望ましいこと。

		6　社会医療法人の場合は、親族等の占める割合が役員総数の3分の1を超えていないこと。	・医療法第42条の2第1項第1号 ・医療法施行規則第30条の35
(2)　選任・任期		1　役員の選任手続きが、社員総会又は評議員会で適正に決議されていること。	・医療法第46条の5第2項及び第3項
		2　選任関係書類が整備されていること。	・選任関係書類は、次のとおりである。 　①　社員総会議事録又は評議員会議事録 　②　就任承諾書 　③　履歴書
		3　役員の任期は2年以内とすること。なお、補欠の役員の任期は、前任者の残任期間であること。	・医療法第46条の5第9項
		4　任期の切れている役員がいないこと。	
(3)　適格性		1　自然人であること。	
		2　欠格事由に該当していないこと。（選任時だけでなく、在任期間中においても同様である。）	・医療法第46条の5第5項 ・欠格事由 　①　成年被後見人又は被保佐人 　②　医療法、医師法等、医療法施行令第5条の5の7に定める医事に関する法令の規定により罰金以上の刑に処せられ、その執行を終わり、又は執行を受けることがなくなった日から起算して2年を経過しない者 　③　②に該当する者を除くほか、禁錮以上の刑に処せられ、その執行を終わり、又は、執行を受けることがなくなるまでの者 ・医療法人と関係のある特定の営利法人の役員が理事長に就任したり、役員として参画していることは、非営利性という観点から適当でないこと。
(4)　代表者（理事長）		1　当該法人の代表権は、理事長にのみ与えられていること。	・医療法第46条の6の2第1項 ・定款・寄附行為に明確に規定されていること。
		2　理事長の職務履行ができない場合の規定が定款又は寄附行為に定められていること。	
		3　理事長は医師又は歯科医師の理事の中から選出されていること。	・医療法第46条の6第1項
		4　医師又は歯科医師でない理事のうちから理事長を選出する場	・医療法第46条の6第1項ただし書

	合は都道府県知事の認可を得ていること。	・医師、歯科医師でない理事のうちから選任することができる場合は以下のとおりである。 ①　理事長が死亡し、又は重度の傷病により理事長の職務を継続することが不可能となった際に、その子女が医科又は歯科大学（医学部又は歯学部）在学中か、又は卒業後、臨床研修その他の研修を終えるまでの間、医師又は歯科医師でない配偶者等が理事長に就任しようとする場合 ②　次に掲げるいずれかに該当する医療法人 　イ　特定医療法人又は社会医療法人 　ロ　地域医療支援病院を経営している医療法人 　ハ　公益財団法人日本医療機能評価機構が行う病院機能評価による認定を受けた医療機関を経営している医療法人 ③　候補者の経歴、理事会構成等を総合的に勘案し、適正かつ安定的な法人運営を損なうおそれがないと都道府県知事が認めた医療法人
	5　理事長は、各理事の意見を十分に尊重し、理事会の決定に従って法人運営及び事業経営を行っていること。	
	6　理事長は、3箇月に1回以上、自己の職務の執行の状況を理事会に報告しなければならないこと。ただし、定款又は寄附行為で毎事業年度に4箇月を超える間隔で2回以上その報告をしなければならない旨を定めた場合は、この限りでないこと。	・医療法第46条の7の2第1項により読み替える一般社団法人及び一般財団法人に関する法律第91条第2項
(5) 理事	1　当該法人が開設する病院等（指定管理者として管理する病院等を含む。）の管理者はすべて理事に加えられていること。	・医療法第46条の5第6項
	2　管理者を理事に加えない場合は都道府県知事の認可を得ていること。	・医療法第46条の5第6項ただし書 ・管理者を理事に加えないことができる場合は、当該法人が開設する病院等の立地及び機能等を総合的

			に勘案し、管理者の意向を法人の運営に反映させるという医療法第46条の5第6項の規定の趣旨を踏まえた法人運営が行われると認められる場合である（例えば、病院等が隣接し業務に緊密な連携がある場合や病院等が法人の主たる事務所から遠隔地にある場合などが考えられるが、これらに限定されるものではないこと。）。なお、恣意的な理由ではなく、社員総会等の議決など正当な手続きを経ていること等を確認すること。

・また、同項ただし書の規定に基づく認可について、医療法人の定款又は寄附行為において、理事に加えないことができる管理者が管理する病院等を明らかにしているときは、当該病院等の管理者が交替した場合でも当該認可は継続できるものとする。

		3　実際に法人運営に参画できない者が名目的に選任されていることは適当でないこと。	
		4　理事は、当該法人に著しい損害を及ぼすおそれのある事実があることを発見したときは、直ちに、その事実を監事に報告しなければならないこと。	・医療法第46条の6の3
		5　理事は、医療法人との利益が相反する取引を行う場合には、理事会において、当該取引につき重要な事実を開示し、その承認を受けなければならないこと。また、当該取引後、遅滞なく理事会に報告しなければならないこと。	・医療法第46条6の4により読み替える一般社団法人及び一般財団法人に関する法第84条
	(6) 監事	1　理事、評議員及び法人の職員を兼任していないこと。また、他の役員と親族等の特殊の関係がある者ではないこと。	・医療法第46条の5第8項
		2　当該法人の業務及び財産の状況特に事業報告書、財産目録、貸借対照表及び損益計算書について十分な監査が行われていること。	・医療法第46条の8第1号及び第2号
		3　監査報告書が作成され、会計年度終了後3月以内に社員総会又は評議員会及び理事会に提出	・医療法第46条の8第3号

	されていること。	
	4　法人の適正な会計管理等を行う観点からも内部監査機構の確立を図ることが重要である。 　また、病院、介護老人保健施設又は介護医療院等を開設する医療法人の監査については外部監査が行われることが望ましい。	・医療法第51条第2項の医療法人については、公認会計士又は監査法人による監査を受けること。
	5　監事の職務の重要性に鑑み、実際に法人監査業務を実施できない者が名目的に選任されることなく、財務諸表を監査しうる者が選任されていること。	
	6　監事は理事会に出席する義務があり、必要があると認めるときは意見を述べなければならないこと。	・医療法第46条の8の2第1項
3　評議員 （財団たる医療法人）	1　自然人であること。	
	2　理事の定数を超える数の評議員をもって組織すること（医療法第46条の5第1項ただし書の認可を受けた場合、3人以上）。	・医療法第46条の4の2第1項 ・必ず選任する必要があること。 ・任期を定めることが望ましいこと。
	3　次に掲げる者から選任されていること。 ①　医師、歯科医師、薬剤師、看護師その他の医療従事者 ②　病院、診療所、介護老人保健施設又は介護医療院の経営に関し識見を有する者 ③　医療を受ける者 ④　①から③までに掲げる者のほか、寄附行為に定めるところにより選任された者	・医療法第46条の4第1項
	4　当該法人の役員又は職員を兼任していないこと。	・医療法第46条の4第3項
	5　評議員名簿を作成し、記載及び整理が適正に行われていることが望ましいこと。	
	6　評議員としての職務を行使できない者が名目的に選任されていることは適当でないこと。	
	7　社会医療法人の場合は、親族等の占める割合が評議員総数の3分の1を超えていないこと。	・医療法第42条の2第1項第3号
4　社員 （社団たる医療法人）		

(1) 現員	1　社員名簿の記載及び整理が適正に行われていること。	・社員名簿の記載事項は次のとおり ①　氏名 ②　生年月日（年齢） ③　性別 ④　住所 ⑤　職業 ⑥　入社年月日（退社年月日） ⑦　出資持分の定めがある医療法人の場合は出資額及び持分割合 ⑧　法人社員の場合は、法人名、住所、業種、入社年月日（退社年月日）（なお、法人社員が持分を持つことは、法人運営の安定性の観点から適当でないこと）
	2　社員は社員総会において法人運営の重要事項についての議決権及び選挙権を行使する者であり、実際に法人の意思決定に参画できない者が名目的に社員に選任されていることは適正でないこと。	・未成年者でも、自分の意思で議決権が行使できる程度の弁別能力を有していれば（義務教育終了程度の者）社員となることができる。 ・出資持分の定めがある医療法人の場合、相続等により出資持分の払戻し請求権を得た場合であっても、社員としての資格要件を備えていない場合は社員となることはできない。
	3　社会医療法人の場合は、親族等の占める割合が社員総数の3分の1を超えていないこと。	・医療法第42条の2第1項第2号
(2) 入社・退社	1　社員の入社については社員総会で適正な手続きがなされ、承認を得ていること。 2　社員の退社については定款上の手続きを経ていること。 3　社員の入社及び退社に関する書類は整理保管されていること。 4　出資持分の定めがある医療法人の場合、社員の出資持分の決定、変更及び払戻しについては適正な出資額の評価に基づいて行われていること。	
(3) 議決権	1　社員の議決権は各1個であること。	・医療法第46条の3の3第1項 ・出資額や持分割合による議決数を与える旨の定款の定めは、その効力を有しない。
5　会議 (1) 開催状況	1　開催手続きが、定款又は寄附行為の定めに従って行われていること。	・社員総会及び評議員会は招集権者である理事長が会議を招集していること。 ・理事会は、原則、各理事が招集す

			ることができるが、招集する理事を定めるときはその理事が招集すること。 ・社員総会の議長は、社員総会において選任されていること。 ・臨時社員総会及び評議員会は、会議を構成する社員又は評議員の５分の１以上から招集を請求された場合、２０日以内に招集しなければならない。 ・社員総会及び評議員会の開催通知は期日の少なくとも５日前にその目的である事項を示し、定款又は寄附行為で定めた方法で行われていること。 ・理事会の開催通知は期日の１週間（これを下回る期間を定款又は寄附行為で定めた場合にあっては、その期間）前までに行われていること。
		2　社員総会、評議員会及び理事会（以下、「会議」という。）は定款又は寄附行為に定められた時期及び必要な時期に開催されていること。 3　定款又は寄附行為の変更のための会議、予算・決算の決定のための会議のほか会議の決議を要する事項がある場合、その他事業運営の実態に即し、必要に応じて会議が開催されていること。	
(2)　審議状況	1　会議は医療法若しくは定款又は寄附行為に定められた定足数を満たして有効に成立していること。		・社員総会　医療法第 46 条の 3 の3第２項 ・評議員会　医療法第 46 条の 4 の4第１項 ・理事会　医療法第 46 条の 7 の 2第１項により読み替える一般社団法人及び一般財団法人に関する法律第 95 条第１項
	2　定款又は寄附行為により会議の議決事項とされている事項について適正に決議されていること。		・社員総会の議決事項 　①　定款の変更 　②　基本財産の設定及び処分（担保提供を含む。） 　③　毎事業年度の事業計画の決定又は変更 　④　収支予算及び決算の決定又は変更 　⑤　重要な資産の処分

			⑥　借入金額の最高限度の決定 ⑦　社員の入社及び除名 ⑧　本社団の解散 ⑨　他の医療法人との合併若しくは分割に係る契約の締結又は分割計画の決定 ・財団たる医療法人の理事会の議決事項及び評議員会への諮問事項 ①　寄附行為の変更 ②　基本財産の設定及び処分（担保提供を含む。） ③　毎事業年度の事業計画の決定又は変更 ④　収支予算及び決算の決定又は変更 ⑤　重要な資産の処分 ⑥　借入金額の最高限度の決定 ⑦　本財団の解散 ⑧　他の医療法人との合併若しくは分割に係る契約の締結又は分割計画の決定 （社団たる医療法人の場合に準用する。）
		3　議決が定款又は寄附行為の定めに従って、有効に成立していること。 4　議決には、議長及びその議案に対する利害関係者が加わっていないこと。	・社員総会　医療法第46条の3の3第6項 ・評議員会　医療法第46条の4の4第4項 ・理事会　医療法第46条の7の2第1項により読み替える一般社団法人及び一般財団法人に関する法律第95条第2項
		5　社員総会における社員の議決権の委任については、書面により会議の構成員に対して適正に行われていること。	
	（3）記録	1　会議開催の都度、議事録は正確に記録され、保存されていること。	・議事録記載事項は医療法施行規則の定めに従うこと。 社員総会　医療法施行規則第31条の3の2 評議員会　医療法施行規則第31条の4 理事会　医療法施行規則第31条の5の4
Ⅱ　業務 1　業務一般		1　定款又は寄附行為に記載されている業務が行われていること	・業務を停止している事実があるときは、その措置について法人側の

	と。	方針を確かめた上、その具体的な是正の方法について報告を求めるとともに、廃止する場合は速やかに定款変更等の手続きを行わせること。
	2　定款又は寄附行為に記載されていない業務を行っていないこと。	・定款等に記載されていない業務を行っている場合は、その措置について法人側の方針を確かめた上、必要に応じてその業務の中止を指導、定款変更等の手続きを行わせること。
	3　自ら病院等を開設することなく、指定管理者として公の施設である病院等を管理することのみを行うことはできないこと。	
	4　社会医療法人の場合は、当該法人が開設する病院又は診療所のうち1以上（2以上の都道府県の区域において開設する場合は、原則、それぞれの都道府県で1以上）のものが、その病院又は診療所の所在地の都道府県で救急医療等確保事業を行っていること。	・医療法第42条の2第4号

・例外は、医療法第42条の2第4号ロの場合 |
| 2　附帯業務 | 1　附帯業務の経営により、医療事業等主たる事業の経営に支障を来たしていないこと。 | ・医療法第42条各号
・その開設する病院、診療所、介護老人保健施設及び介護医療院の業務に支障のない限り、定款又は寄附行為の定めるところにより、平成19年3月30日医政発第0330053号医政局長通知に掲げる業務（これに類するものを含む）の全部又は一部を行うことができる。 |
| Ⅲ　管理
1　人事管理
　(1) 任免関係 | 1　病院、診療所等の管理者の任免に当たっては、理事会の議決等正当な手続きを経ていること。
2　また、病院、診療所等の管理者以外の幹部職員の任免に当たっても、理事会の審議を経ていることが望ましいこと。 | |
| 　(2) 労務関係 | 1　就業規則・給与規定・退職金規定が原則として設けられていること。
2　職員の処遇が労働基準法等関係法令通知等に則して適正に行われていること。 | |

		3　職員の資質向上を図るため、職員研修について具体的計画が立てられていることが望ましいこと。	
2　資産管理		1　基本財産と運用財産とは明確に区分管理されていること。	
		2　法人の所有する不動産及び運営基金等重要な資産は基本財産として定款又は寄附行為に記載することが望ましいこと。	
		3　不動産の所有権又は賃借権については登記がなされていること。	・平成 19 年 3 月 30 日医政発第0330049 号医政局長通知
		4　基本財産の処分又は担保の提供については定款又は寄附行為に定められた手続きを経て、適正になされていること。	・所定の手続きを経ずに、処分又は担保に供している基本財産がないことが登記簿謄本により確認されること。
		5　医療事業の経営上必要な運用財産は、適正に管理され、処分がみだりに行われていないこと。	
		6　そのため、現金は、銀行、信託会社に預け入れ若しくは信託し、又は国公債若しくは確実な有価証券に換え保管するものとすること（売買利益の獲得を目的とした株式保有は適当でないこと）。	・モデル定款・寄附行為
		7　土地、建物等を賃貸借している場合は適正な契約がなされていること。	・平成 19 年 3 月 30 日医政発第0330049 号医政局長通知 ・賃貸借契約期間は医業経営の継続性の観点から、長期間であることが望ましいこと。 また、契約期間の更新が円滑にできるよう契約又は確認されていることが望ましいこと。 ・賃借料は近隣の土地、建物等の賃借料と比較して著しく高額でないこと。
		8　現在、使用していない土地・建物等については、長期的な観点から医療法人の業務の用に使用する可能性のない資産は、例えば売却するなど、適正に管理又は整理することを原則とする。 　その上で、長期的な観点から医療法人の業務の用に使用する可能性のある資産、又は土地の区画	・長期的な観点から医療法人の業務の用に使用する可能性のある資産とは、例えば、病院等の建て替え

	若しくは建物の構造上処分することが困難な資産については、その限りにおいて、遊休資産の管理手段として事業として行われていないと判断される程度において賃貸しても差し支えないこと。　ただし、当該賃貸が医療法人の社会的信用を傷つけるおそれがないこと、また、当該賃貸を行うことにより、当該医療法人が開設する病院等の業務の円滑な遂行を妨げるおそれがないこと。		用地であることなどが考えられること。 ・土地を賃貸する場合に、賃貸契約が終了した際は、原則、更地で返却されることを前提とすること。 ・新たな資産の取得は医療法人の業務の用に使用することを目的としたものであり、遊休資産としてこれを賃貸することは認められないこと。 ・事業として行われていないと判断される程度とは、賃貸による収入の状況や貸付資産の管理の状況などを勘案して判断するものであること。 ・遊休資産の賃貸による収入は損益計算書においては、事業外収益として計上するものであること。
3　会計管理 　(1)　予算	1　予算は定款又は寄附行為の定めに従い適正に編成されていること。 2　予算が適正に執行されていること。 　なお、予算の執行に当たって、変更を加えるときは、あらかじめ社員総会若しくは評議員会又は理事会の同意を得ていること。		
(2)　会計処理	1　会計責任者が置かれていることが望ましいこと。 2　現金保管については、保管責任が明確にされていること。 3　剰余金を配当してはならないこと。剰余金に類するものも同様であること。		・医療法第54条 （注）剰余金の配当をした場合は、20万円以下の過料に処せられること。（医療法第76条第6号）
(3)　債権債務 　　の状況	1　借入金は、事業運営上の必要によりなされたものであること。 2　借入金は社員総会又は評議員会、理事会の議決を経て行われていること。 3　借入金は全て証書で行われていること。 4　債権又は債務が財政規模に比し過大になっていないこと。		 ・モデル定款・寄附行為 ・法人がその債務につきその財産をもって完済することができなくなった場合には、理事又は清算人は、直ちに破産手続の申立てをしなければならないこと。 （注）破産手続開始の申立てを怠っ

		た場合は、20万円以下の過料に処せられること。（医療法第76条第7号）
(4) 会計帳簿等の整備状況	1 会計帳簿が整備され、証ひょう書類が保存されていること。 2 預金口座、通帳は法人名義になっていること。	
(5) 決算及び財務諸表	1 決算手続きは、定款又は寄附行為の定めに従い、適正に行われていること。 2 決算と予算との間で、大幅にくい違う科目がある場合は、その原因が究明され、必要な改善措置がなされていること。 3 事業報告書、財産目録、貸借対照表及び損益計算書が整備され、保存されていること。 4 決算書（案）は社員総会又は理事会に諮る前に、監事の監査を経ていること。 5 監査報告書は社員総会若しくは評議員会又は理事会に報告後、法人において保存されていること。 6 事業報告書等決算に関する書類を各事務所に備えておき、社員若しくは評議員又は債権者から閲覧の請求があった場合は、正当な理由がある場合を除き、閲覧に供しなければならないこと。 7 決算の都道府県知事への届出が毎会計年度終了後3月以内になされていること。	・医療法第51条第1項 ・医療法第51条第2項 ・医療法第51条の2 （注）備え付けを怠った場合、記載すべき事項を記載していない場合若しくは虚偽の記載をした場合又は正当な理由なく閲覧を拒否した場合は、20万円以下の過料に処せられること。（医療法第76条第4号） ・医療法第52条第1項 （注）届出をしない場合又は虚偽の届出をした場合は、20万円以下の過料に処せられること。（医療法第76条第5号）
(6) その他	1 病院、介護老人保健施設、介護医療院等の患者又は入所者から預かっている金銭は別会計で経理されているとともに、適正に管理がなされていることが望ましいこと。 2 法人印及び代表者印については、管理者が定められているとともにその管理が適正になされていること。	
4 登記	1 当該法人が登記しなければならない事項について登記がなさ	・医療法第43条 ・組合等登記令

	れていること。	・登記事項 　①　目的及び業務 　②　名称 　③　事務所 　④　代表権を有する者の氏名、住 　　所及び資格 　⑤　存立時期又は解散の事由を定 　　めたときは、その時期又は事由 　⑥　資産の総額 （注）登記を怠った場合又は不実の 　　登記をした場合は、20万円以下 　　の過料に処せられること。（医療 　　法第76条第1号）
	2　理事長のみの登記がなされて 　いること。	・理事長の任期満了に伴い再任され 　た場合にあっては、変更の登記が 　必要であること。
	3　登記事項の変更登記は法定期 　間内に行われていること。	・登記期間 　①　主たる事務所（2週間以内） 　②　従たる事務所（3週間以内） 　③　資産の総額は毎会計年度終了 　　後2月以内 ・資産の総額（貸借対照表の純資産 　額）は毎会計年度終了後、変更の 　登記が必要であること。
	4　変更登記後の登記済報告書は 　その都度、都道府県知事に提出 　されていること。	・医療法施行令第5条の12
5　公告	1　清算人が、債権者に対し債権 　の申出の催告を行う場合又は破 　産手続開始の申立てを行う場合 　の公告は定款又は寄附行為に定 　められた方法で適正に行われて 　いること。	・モデル定款・寄附行為 （注）公告を怠った場合又は不実の 　　公告をした場合は、20万円以下 　　の過料に処せられること。（医療 　　法第76条第8号）
Ⅳ　その他 1　必要な手続 　の督促	1　認可申請又は届出にかかる書 　類が提出されない場合、都道府 　県は当該医療法人に対し必要な 　手続の督促を行うこと。	・督促又は勧告等によっても指導目 　的が達されない場合は、行政処分 　が行われることになる。 　①　法令等の違反に対する措置 　　（医療法第64条第1項及び第 　　2項） 　②　聴聞手続（行政手続法第13 　　条、第15条、第24条） 　③　設立認可の取消（医療法第65 　　条）

著者プロフィール

奥田　雅也（おくだ・まさや）

株式会社ＦＰイノベーション　代表取締役
ＮＰＯ法人日本リスクマネジャー＆コンサルタント
協会　理事

大学卒業後、旧大東京火災海上保険（現あいおいニッセイ
同和損害保険）の新卒研修生として保険営業スタート。1997
年に全国でも有数規模の会計事務所グループである株式会
社日本経営の保険専任担当へ転職。2004 年に転職し、専業
保険代理店として唯一上場している株式会社アドバンスク
リエイトの法人営業・提携事業担当を経て 2011 年に独立。
20 数年にわたる保険営業の中で、訪問をした法人数は 2,500
社以上、うち医療機関数は 1,000 件超。生命保険・損害保険
の両方に精通し、事業（医業）経営者に特化した営業スタ
イルを確立。現在は大阪を本拠地として、現場にこだわり
顧客対応をしつつ保険代理店経営・講演・執筆活動を精力
的に行う。新日本保険新聞生保版にて連載中。

【主な著書】
ここから始めるドクターマーケット入門（新日本保険新聞社）
法人保険販売の基礎（株式会社保険社）
令和時代の法人保険販売（株式会社保険社）

保険営業パーソンのための開業医顧客獲得術

2020 年 4 月 1 日　初版発行　　定価(本体 2,000 円＋税)

著　　者	奥 田 雅 也
編　　集	見 玉 　 純
発 行 者	今 井 進次郎

発行所	株式会社 新日本保険新聞社 大阪市西区靱本町 1 － 5 －15 （第二富士ビル 6 Ｆ） 郵便番号 550－0004
電　話	06－6225－0550（代表）
Ｆ Ａ Ｘ	06－6225－0551（専用）
ホームページ	https://www.shinnihon-ins.co.jp/

ISBN978-4-905451-89-1　　　印刷・株式会社廣済堂